ISBN 978-2-07-061573-5
Copyright © 2009 Gallimard Jeunesse, Paris
Loi n° 49-956 du 6 juillet 1949 sur
les publications destinées à la jeunesse
Dépôt légal : octobre 2009
N° d'édition : 153465
Photogravure Scanplus
Imprimé et relié en Espagne par Egedsa

Tothème

Les religions

Sandrine Mirza

GALLIMARD JEUNESSE

COMMENT ÇA MARCHE ?

FAMILLE CROYANCE

Judaïsme, christianisme, islam, découvrez les fondements des trois religions monothéistes.

FAMILLE PERSONNAGE

Noé, Abraham, Moïse, Jésus, Muhammad, etc. La vie des grandes figures religieuses racontée en BD.

FAMILLE LIVRE

Genèse, Torah, Bible et Coran sont les textes fondateurs des trois grandes religions monothéistes.

FAMILLE DATE

Naissance, diaspora, schismes, découvrez les grandes dates qui ont marqué des tournants dans l'histoire des religions.

FAMILLE LIEU

Marchez sur les traces des pèlerins à La Mecque, au Vatican ou à Jérusalem.

FAMILLE ÉDIFICE

Synagogue, église, temple ou mosquée... des images en 3D pour découvrir l'intérieur des édifices religieux.

FAMILLE SYMBOLE

La forme et le sens des symboles religieux : l'étoile de David, la croix, le croissant, etc.

FAMILLE PERSONNEL RELIGIEUX

Rabbin, prêtre, religieux, imam... Quel est leur rôle au sein de la communauté ? Que symbolisent leurs vêtements ?

FAMILLE RITES ET PRATIQUES

Baptême, circoncision, bar mitsvah, funérailles... de la naissance à la mort, la religion accompagne les croyants.

FAMILLE FÊTES ET CALENDRIER

Yom Kippour, Noël, Aïd el-Kébir, découvrez le sens et les traditions des fêtes religieuses qui rythment notre calendrier.

Si tu aimes les exposés structurés et chronologiques (commencer par le début et terminer par la fin) : parcours ton livre de 1 à 60 !

21 SYMBOLES CROIX

LA MARQUE DU CHR

La religion chrétienne a pour symbole la Croix, déclinée sous de multiples formes : croix latine, croix byzantine, croix huguenote, croix de Jérusalem.

Lorsque le Christ meurt sur la Croix, celle-ci n'est qu'un de torture. Mais, aux yeux des premiers chrétiens, elle perd peu à peu son sens morbide pour devenir le symbole de leur religion. Il existe toutes sortes de croix. Celle montrant le Christ crucifié s'appelle le crucifix. Elle porte souvent l'inscription « INRI » qui signifie « Jésus de Nazareth, Roi des Juifs ».

La Croix est un objet cultuel important. Elle se fait également geste, quand les chrétiens font le « signe de croix ».

Traditionnellement, les églises sont construites sur un plan en forme

22 DATES AN 1

LA VENUE DU CHRIST

L'an 1 correspond à la naissance et marque le début de l'ère chr Il est largement accepté com universelle.

Calculée au VIe siècle par le la date de naissance du Chr de repère de la plupart des Pourtant, les historiens a que Denys le Petit s'est t est sans doute né au mo

la notat Jé

L'ère musulmane se base sur l'Hégire, e

Les prouesses du Chr

Chaque entrée est classée de 1 à 60. La couleur du cube indique à quelle famille elle appartient

Nom de la famille

Nom de l'entrée

Si tu es perdu, reporte-toi au sommaire (page suivante) ou bien ouvre le dernier rabat : il te permet à tout moment de retrouver les 60 sujets, classés par thème.

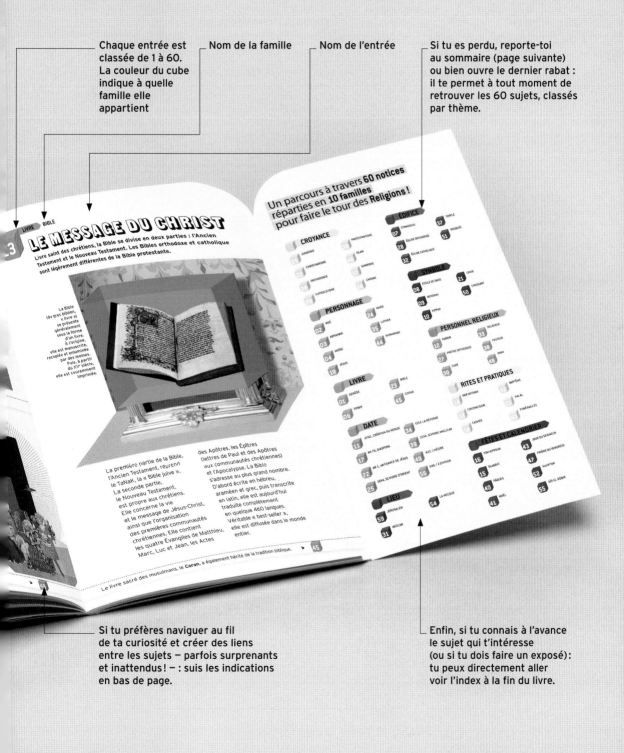

LIVRE   BIBLE

3

LE MESSAGE DU CHRIST

Livre saint des chrétiens, la Bible se divise en deux parties : l'Ancien Testament et le Nouveau Testament. Les Bibles orthodoxe et catholique sont légèrement différentes de la Bible protestante.

La Bible (du grec *biblion*, « livre ») se présente généralement sous la forme d'un livre. À l'origine, elle est manuscrite, recopiée et enluminée par des moines. Puis, à partir du XVe siècle, elle est couramment imprimée.

La première partie de la Bible, l'Ancien Testament, reprend le TaNaK, la « Bible juive ». La seconde partie, le Nouveau Testament, est propre aux chrétiens. Elle concerne la vie et le message de Jésus-Christ, ainsi que l'organisation des premières communautés chrétiennes. Elle contient les quatre Évangiles de Matthieu, Marc, Luc et Jean, les Actes des Apôtres, les Épîtres (lettres de Paul et des Apôtres aux communautés chrétiennes) et l'Apocalypse. La Bible s'adresse au plus grand nombre. D'abord écrite en hébreu, araméen et grec, puis transcrite en latin, elle est aujourd'hui traduite complètement en quelque 460 langues. Véritable « best-seller », elle est diffusée dans le monde entier.

Le livre sacré des musulmans, le **Coran**, a également hérité de la tradition biblique. ▶ **45**

Un parcours à travers **60 notices** réparties en **10 familles** pour faire le tour des **Religions** !

CROYANCE
07 JUDAÏSME   PROTESTANTISME
CHRISTIANISME   ISLAM
ORTHODOXIE   SHINTOÏSME
CATHOLICISME   CHRISME

PERSONNAGE
                24 MARIE
02 NOÉ   35 LUTHER
03 ABRAHAM   44 MUHAMMAD
04 MOÏSE
19 JÉSUS

LIVRE
01 GENÈSE   23 BIBLE
06 TORAH   45 CORAN

DATE
3761, CRÉATION DU MONDE   34 1517, LA RÉFORME
                          39 1534, SCHISME ANGLICAN
17 AN 70, DIASPORA   622, L'HÉGIRE
22 AN 1, NAISSANCE DE JÉSUS   56 846 ? À DIVISION
25 1054, SCHISME D'ORIENT

LIEU
59 JÉRUSALEM
31 VATICAN   54 LA MECQUE

ÉDIFICE
                32 TEMPLE
07 SYNAGOGUE   51 MOSQUÉE
28 ÉGLISE ORTHODOXE
32 ÉGLISE CATHOLIQUE

SYMBOLE
08 ÉTOILE DE DAVID   21 CROIX
09 MÉNORAH   50 CROISSANT
10 TIPPAH

PERSONNEL RELIGIEUX
                33 RELIGIEUX
12 RABBIN   38 PASTEUR
PRÊTRE ORTHODOXE   IMAM
30 CURÉ

RITES ET PRATIQUES
BAR MITSVAH   BAPTÊME
CIRCONCISION HALAL
CASHER   FUNÉRAILLES

FÊTES ET CALENDRIER
                43 JOUR DU SEIGNEUR
16 YOM KIPPOUR 47 PRIÈRE DU VENDREDI
SHABBAT   RAMADAN
40 PÂQUES   52 AÏD EL-KÉBIR
41 NOËL   55

Si tu préfères naviguer au fil de ta curiosité et créer des liens entre les sujets — parfois surprenants et inattendus ! — : suis les indications en bas de page.

Enfin, si tu connais à l'avance le sujet qui t'intéresse (ou si tu dois faire un exposé): tu peux directement aller voir l'index à la fin du livre.

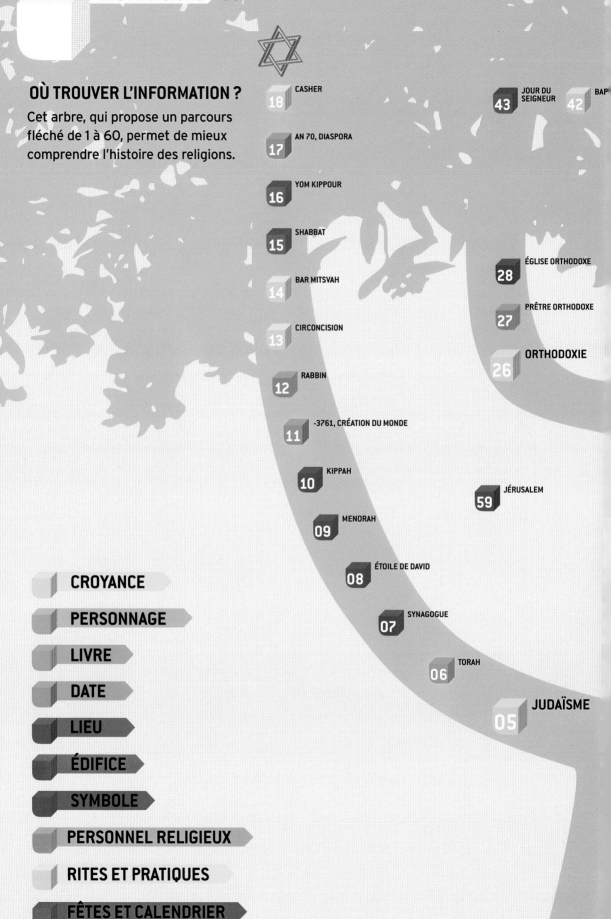

LES RELIGIONS SOMMAIRE

OÙ TROUVER L'INFORMATION ?

Cet arbre, qui propose un parcours fléché de 1 à 60, permet de mieux comprendre l'histoire des religions.

18 CASHER

17 AN 70, DIASPORA

16 YOM KIPPOUR

15 SHABBAT

14 BAR MITSVAH

13 CIRCONCISION

12 RABBIN

11 -3761, CRÉATION DU MONDE

10 KIPPAH

09 MENORAH

08 ÉTOILE DE DAVID

07 SYNAGOGUE

06 TORAH

05 JUDAÏSME

43 JOUR DU SEIGNEUR

42 BAP

28 ÉGLISE ORTHODOXE

27 PRÊTRE ORTHODOXE

26 ORTHODOXIE

59 JÉRUSALEM

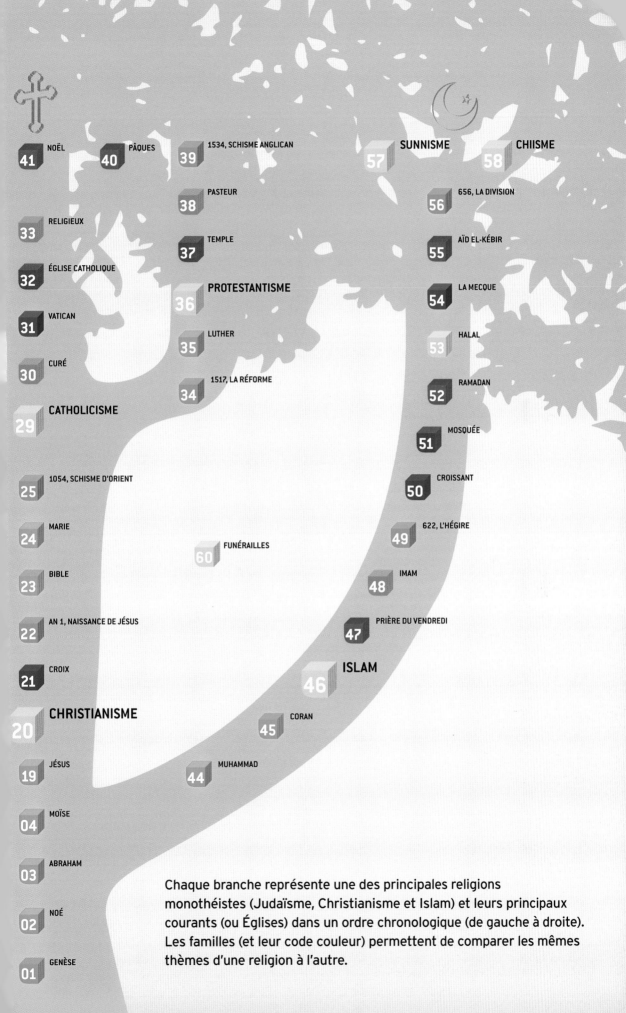

41 NOËL

40 PÂQUES

39 1534, SCHISME ANGLICAN

57 SUNNISME

58 CHIISME

38 PASTEUR

56 656, LA DIVISION

33 RELIGIEUX

37 TEMPLE

55 AÏD EL-KÉBIR

32 ÉGLISE CATHOLIQUE

36 PROTESTANTISME

54 LA MECQUE

31 VATICAN

35 LUTHER

53 HALAL

30 CURÉ

34 1517, LA RÉFORME

52 RAMADAN

29 CATHOLICISME

51 MOSQUÉE

25 1054, SCHISME D'ORIENT

50 CROISSANT

24 MARIE

49 622, L'HÉGIRE

23 BIBLE

60 FUNÉRAILLES

48 IMAM

22 AN 1, NAISSANCE DE JÉSUS

47 PRIÈRE DU VENDREDI

21 CROIX

46 ISLAM

20 CHRISTIANISME

45 CORAN

19 JÉSUS

44 MUHAMMAD

04 MOÏSE

03 ABRAHAM

02 NOÉ

01 GENÈSE

Chaque branche représente une des principales religions monothéistes (Judaïsme, Christianisme et Islam) et leurs principaux courants (ou Églises) dans un ordre chronologique (de gauche à droite). Les familles (et leur code couleur) permettent de comparer les mêmes thèmes d'une religion à l'autre.

00

EN QUÊTE DE RÉPONSES

Pour échapper à sa condition d'être fini et mortel, ou répondre à des questions fondamentales et universelles, l'homme semble avoir besoin de croyances, de rites, de récits… c'est-à-dire de sacré. Mais il y a mille façons de croire.

Comment est né l'Univers ? D'où vient la vie ? Quel sens donner à son existence ? Qu'est-ce que la mort ? Existe-t-il un au-delà ? Les hommes du monde entier se posent ces questions essentielles, mais comment y répondre ? La science, qui progresse sans cesse, explique un certain nombre de phénomènes naturels. La philosophie propose également des éléments de réflexion et, parfois, des règles de vie. Mais, pour de nombreux hommes, seule la religion répond complètement à toutes ces interrogations. Selon eux, les mystères de la vie et de la mort s'expliquent par l'existence d'une force invisible qui pense et conduit l'Univers. Selon les pays et les cultures, les hommes imaginent différemment cette « force invisible ». Ils la voient sous la forme d'esprits qui habitent chaque élément de la nature (les animaux, les plantes, les rivières, les montagnes…) ou sous la forme de dieux qui dirigent le monde et les activités humaines (les saisons, la pluie, l'amour, la guerre…).

Mais beaucoup croient qu'il n'existe qu'un seul Dieu, tout puissant. Trois grandes religions prêchent sur les cinq continents la croyance en un Dieu unique : le judaïsme, le christianisme et l'islam. Chacune rassemble ses fidèles autour d'une même foi (du latin *fides* qui signifie « confiance, croyance ») et leur indique comment communiquer avec Dieu : prières, fêtes, rites… Ces trois religions défendent aussi leur propre vision de la société et cherchent à organiser leur communauté à travers des traditions et des lois. Cependant, tous les croyants ne vivent pas leur foi de la même manière. Certains croient en Dieu mais ne sont pas « pratiquants », alors que d'autres suivent attentivement les rites et participent régulièrement aux cérémonies. Dans chaque religion se trouve également une petite minorité de fidèles « fanatiques » qui, parfois, veulent imposer leurs idées par la force.

LE RÉCIT DES ORIGINES

La Genèse constitue le début du récit biblique, commun aux juifs, aux chrétiens et aux musulmans. Elle raconte l'histoire de la création de l'Univers et des débuts de l'humanité.

Dieu bannit Adam et Ève du jardin d'Eden (le paradis) car ils ont goûté au fruit défendu de l'Arbre de la Connaissance du Bien et du Mal. Il les condamne à vivre sur terre.

« Au commencement, Dieu créa le ciel et la terre ». Ainsi débute le premier livre de la Torah et de la Bible ; il est appelé Bereshit par les juifs et Genèse par les chrétiens. Les premières lignes sont consacrées à la création de l'Univers par Dieu, en six jours. Viennent ensuite quelques-uns des épisodes bibliques les plus célèbres : la création puis la faute d'Adam et Ève, le premier homme et la première femme ; le meurtre d'Abel par son frère Caïn ;

le déluge et l'arche de Noé ; la tour de Babel ; la destruction de Sodome et Gomorrhe ; l'ultime épreuve d'Abraham, père d'Isaac et Ismaël ; le destin de Jacob (renommé par Dieu « Israël ») dont les douze fils forment les « douze tribus d'Israël » ; l'installation de Joseph en Égypte.

Plusieurs épisodes de la Genèse sont évoqués dans le **Coran**, à travers différentes sourates. →

02

LE RESCAPÉ DU DÉLUGE

L'histoire de Noé sauvé du déluge est un passage célèbre de la Genèse. Elle évoque la fin d'une époque archaïque et la naissance d'une nouvelle humanité plus conforme à la volonté divine.

❶ Sur terre, les descendants d'Adam et Ève se conduisent si mal que Dieu décide de les anéantir tous, sauf Noé qui est juste et bon. Il l'avertit d'un déluge imminent et lui ordonne de construire une arche.

❷ Dieu demande à Noé de sauver sa famille : sa femme, ses trois fils Sem, Cham et Japhet, ainsi que leurs épouses. Il lui commande aussi de faire entrer dans l'arche des représentants mâles et femelles de toutes les espèces animales.

❸ Pendant quarante jours et quarante nuits, une pluie torrentielle s'abat sur la terre et noie toute vie. Puis le calme revient, les eaux se retirent et le sol sèche peu à peu. Noé et les siens peuvent enfin sortir de l'arche.

❹ Tandis que Noé offre un sacrifice à Dieu pour le remercier, Dieu promet à Noé et ses descendants de ne plus jamais dévaster la terre. Puis Il fait apparaître un arc-en-ciel en signe de sa promesse.

Dans le **Coran**, 27 sourates parlent de Noé, appelé Nûh. La 71e porte même son nom. ➔

03

LE PÈRE DES CROYANTS

Les textes bibliques présentent Abraham comme le père du monothéisme et l'ancêtre commun des juifs, des chrétiens et des musulmans. Ces derniers l'appellent Ibrahim.

❶ Abraham, descendant de Noé par son fils Sem, est originaire d'Ur, en Mésopotamie. Un jour, il reçoit l'ordre divin de se rendre au pays de Canaan. Il s'exécute et s'en remet au Dieu unique qui s'adresse à lui.

❷ Dieu conclut une alliance avec Abraham : en échange de sa fidélité, il lui promet une terre (le pays de Canaan) et une descendance nombreuse. Malgré son grand âge, Abraham engendre alors deux fils : Ismaël, né de sa servante égyptienne Hagar, et Isaac, né de sa femme Sa

❸ Abraham se sépare d'Ismaël, considéré comme l'ancêtre des Arabes, et garde près de lui Isaac, considéré comme l'ancêtre des Hébreux. Un jour, Dieu décide de l'éprouver et lui demande son fils. Abraham organise un sacrifice. Mais, au dernier moment, un ange l'arrête.

❹ À la mort de son épouse, Sara, Abraham achète la grotte de Makpéla, à Hébron, pour l'y ensevelir. Par cette possession funéraire, futur tombeau des patriarches où lui-même sera déposé, il affirme son droit sur le pays de Canaan.

Les musulmans commémorent l'épreuve d'Abraham lors de la fête de l'**Aïd el-Kébir**. → **55**

04

LE MAÎTRE DE LA LOI

Prophète et législateur, Moïse est un personnage central de l'histoire biblique, reconnu par les juifs, les chrétiens et les musulmans.
Il est appelé Moshé en hébreu et Moussa en arabe.

❶ Fuyant la famine, beaucoup d'Hébreux quittent le pays de Canaan pour se réfugier en Égypte où ils tombent peu à peu en esclavage. Un jour le pharaon décide de tuer leurs garçons, mais sa propre fille sauve l'un des bébés, confié aux eaux du Nil, et le nomme Moïse.

❷ Moïse grandit et s'éloigne de la cour du pharaon. Un jour, alors qu'il se trouve au mont Sinaï, Dieu lui apparaît au milieu d'un buisson ardent et le charge de délivrer les Hébreux de l'esclavage.

❸ Accablé par dix terribles plaies, le pharaon laisse Moïse emmener les Hébreux hors d'Égypte. Puis il se ravise et lance son armée à leur poursuite. Mais Moïse lui échappe grâce à Dieu qui ouvre les eaux de la mer Rouge aux Hébreux et les referme sur les Égyptiens.

❹ À la tête des Hébreux, Moïse retourne au mont Sinaï. Il y reçoit les Tables de la Loi sur lesquelles Dieu a gravé ses dix commandements. Puis, il guide son peuple à travers le désert pendant quarante ans et le ramène au pays de Canaan.

Moïse est considéré comme le grand maître du **judaïsme**.

→ 05

05

SUR LES TRACES DE MOÏSE

Le judaïsme est la première religion monothéiste de l'Histoire. Elle proclame l'existence de Dieu, la révélation de la Torah et la supériorité de Moïse sur les autres prophètes.

Les fidèles du judaïsme sont les juifs. Ils croient en un Dieu unique, éternel et omniscient (qui sait tout), créateur et maître de l'Univers.
Ils le désignent par 4 lettres : YHVH. Mais, en accord avec le troisième commandement, les juifs ne prononcent pas ces lettres et remplacent le nom Dieu par un autre terme, souvent *Adonaï* (Seigneur).

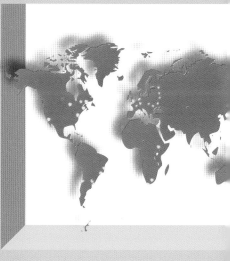

▲ Le judaïsme est surtout présent en Israël, en Europe et en Amérique du Nord. Il y a aussi des communautés importantes en Amérique du Sud et en Afrique du Sud.

La croyance au Messie est l'élément fondateur du **christianisme**.

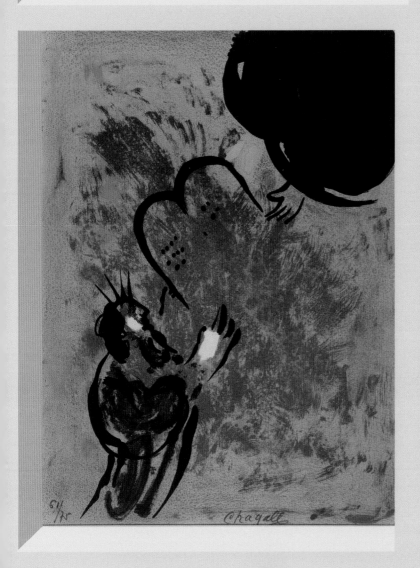

« Moïse recevant les Tables de la Loi »,
par Marc Chagall

Le judaïsme parle de
la venue d'un « Messie »
(*oint* en hébreux, c'est-
à-dire consacré par une
huile sainte), un homme
de la lignée du roi David
qui sauvera le monde
et apportera la paix.
Les juifs pensent qu'il
viendra à la fin des temps.

Le judaïsme est une religion
liée à un peuple : les Hébreux,
appelés par la suite « Judéens »
ou « Israélites », puis « Juifs ».
En conséquence, on naît juif
par sa mère, mais il est difficile
de le devenir. Le judaïsme
n'encourage pas les conversions.
Toutefois, il ne vit pas replié
sur lui-même. Il considère
que le peuple juif est « élu »,
c'est-à-dire choisi par Dieu
pour servir d'exemple et
montrer la voie du monothéisme
à tous les autres peuples.

Le judaïsme se divise en deux courants :
le judaïsme orthodoxe qui suit
la tradition et le judaïsme réformé
(également appelé « libéral ») qui prône
certaines évolutions. Différent selon
les pays et les communautés, ce dernier
autorise par exemple la mixité
des hommes et des femmes
à la synagogue, voire la direction
de l'office par un rabbin femme.

Le judaïsme se fonde sur un livre saint,
la Torah, qui guide les fidèles
dans leur vie religieuse et dans leur vie
quotidienne grâce aux dix
commandements (également appelés
Décalogue), mais pas seulement.
En effet, selon la tradition juive,
la Torah énonce 613 commandements,
appelés *mitzvoth*.

Les dix commandements :

I- JE SUIS LE SEIGNEUR
TON DIEU QUI T'A FAIT
SORTIR D'ÉGYPTE

II- TU N'AURAS PAS
D'AUTRES DIEUX,
TU NE FERAS PAS D'IDOLES

III- TU NE PRONONCERAS
PAS LE NOM DE DIEU
EN VAIN

IV- TU OBSERVERAS
LE SHABBAT

V- TU HONORERAS
TON PÈRE ET TA MÈRE

VI- TU N'ASSASSINERAS
PAS

VII- TU NE COMMETTRAS
PAS L'ADULTÈRE

VIII- TU NE VOLERAS PAS

IX- TU NE FERAS PAS
DE FAUX TÉMOIGNAGE

X- TU NE CONVOITERAS
NI LA FEMME,
NI LA MAISON,
NI LES BIENS DE TON
PROCHAIN

LE LIVRE FONDATEUR

**Rédigée en hébreu, la Torah est le livre saint des juifs.
Selon eux, elle contient la parole de Dieu révélée à Moïse.**

La Torah est écrite à la main sur un rouleau de parchemin appelé Sefer Torah.
Sa réalisation est codifiée en détail et la moindre erreur entraîne son invalidité.
Le Sefer Torah est souvent enveloppé dans un velours protecteur et orné de plaques d'argent, voire d'une couronne

La Torah établit la Loi de Dieu et raconte l'histoire du peuple hébreu, choisi par Dieu pour faire triompher le monothéisme. Elle se divise en cinq livres (ou Pentateuque) : la Genèse, l'Exode, le Lévitique, les Nombres et le Deutéronome. Elle est associée à deux autres livres pour former la « Bible juive », fréquemment appelée TaNaK d'après les initiales des trois parties qui la composent : *Torah* (« Enseignement » en hébreu), *Neviim* (« Prophètes »), *Ketouvim* (« Écrits »). La Torah a toujours été accompagnée d'une Loi orale visant à expliquer certains passages. Ces commentaires ont été consignés par écrit dans le Michna, le Talmud et d'autres textes rabbiniques.

Reprise par les chrétiens, la Torah constitue les cinq premiers livres de l'Ancien Testament, dans la **Bible**. →

07 L'ABRI DE LA TORAH

Après la destruction du Temple, en l'an 70, la synagogue devint l'institution principale du judaïsme, à la fois lieu de prière, centre d'étude et espace de réunion pour la communauté.

Élément essentiel, l'**Arche** ❶ est l'armoire qui abrite le Sefer Torah. Elle est plus ou moins travaillée et souvent protégée par un rideau brodé. Elle est généralement placée sur le mur orienté vers Jérusalem.

Le **Ner-Tamid** ❸ est une lumière qui brille constamment devant l'Arche. Elle symbolise la présence éternelle de Dieu.

Le bâtiment s'adapte généralement au style architectural et aux contraintes de l'endroit où il se trouve.

Le décor est généralement sobre, sans statues, ni fresques ou tableaux montrant des personnages. Le judaïsme proclame l'impossibilité de représenter Dieu et interdit les images d'êtres vivants.

Certaines synagogues possèdent une **genizah**, une pièce où sont entreposés les textes et les objets usés et abimés, mais trop saints pour être détruits.

C'est sur cette estrade, la **bimah** ❷, qu'est lue la Torah.

Traditionnellement, les hommes sont séparés des femmes.

Beaucoup de synagogues disposent de salles d'étude et accueillent notamment le « Talmud Torah », l'enseignement religieux destiné aux enfants.

Vitrail montrant les Tables de la Loi au milieu de l'étoile de David

Le chandelier utilisé à la synagogue est une **Hanoukia**, à neuf branches, non une Menorah.

À l'origine, le judaïsme était centré sur un seul lieu de culte, le Temple de **Jérusalem**. →

08

L'ÉTOILE À SIX BRANCHES

L'étoile de David compte six branches. C'est un élément décoratif ancien et, surtout, un des principaux symboles du judaïsme et emblèmes d'Israël.

L'étoile de David est souvent appelée *Maguen David* (le « bouclier de David ») car, selon la tradition, elle ornait le bouclier de ce grand roi d'Israël. Parfois, elle est également nommée « Sceau de Salomon ». Aux yeux de certains, ses deux triangles entrelacés symbolisent l'interaction des principes de l'Univers : l'eau et le feu, le féminin et le masculin, la matière et l'esprit, etc.

L'étoile de David figure au centre du drapeau israélien, se porte en médaille ou orne certains objets.

L'étoile de David est l'un des principaux éléments décoratifs de la **synagogue**. → 07

09

LE CHANDELIER À SEPT BRANCHES

Le plus ancien symbole de la foi juive est la menorah, le chandelier à sept branches. Il évoque la lumière des commandements divins.

« Tu feras un candélabre d'or pur » ordonna Dieu à Moïse (l'Exode). Et ainsi fut fait : un chandelier à sept branches, en or, devint l'un des principaux objets religieux utilisés dans le Temple de Jérusalem. Facilement identifiable, simple à représenter, ce chandelier est peu à peu devenu le symbole du judaïsme.

Une grande menorah s'élève devant le Parlement israélien (la Knesset). Une autre est dessinée sur le blason officiel de l'État d'Israël.

La menorah d'or du Temple a disparu en **70**, lors de la conquête de Jérusalem. → 17

LA CALOTTE JUIVE

Dans la religion juive, les hommes se couvrent la tête en signe de respect pour Dieu. Ils portent une kippah.

Au moment de la prière et lorsqu'ils lisent la Torah, les hommes juifs ont l'habitude de se couvrir la tête d'une calotte, appelée kippah en hébreu. Certains juifs pratiquants portent la kippah toute la journée. Elle leur rappelle constamment la présence de Dieu au-dessus d'eux en tant qu'autorité suprême.

Kippah noire pour les juifs orthodoxes, kippah colorée pour les autres, chaque communauté a son style de couvre-chef.

Les hommes se couvrent systématiquement la tête en entrant dans une **synagogue**. → 07

L'AN DE LA CRÉATION

Le calendrier juif se réfère à la date de la Création du monde qu'il situe en 3761 avant J.-C. Ainsi, à l'an 2000 de « l'ère commune » correspond l'an 5760 de l'ère juive.

Les savants juifs ont calculé la date de la Création du monde à partir des informations contenues dans la Torah. Par exemple, ils se sont appuyés sur les données généalogiques concernant la descendance d'Adam : à 130 ans Adam engendre Seth, à 105 ans Seth engendre Enosh, à 90 ans Enosh engendre Qénân, etc.

Ce détail d'un manuscrit hébreu montre un rabbin tenant le Sefer Torah.

Le début de l'ère commune, notée **an 1**, se réfère à la naissance du Christ. → 22

L'AUTORITÉ RELIGIEUSE

Le rabbin est un érudit et un sage qui guide la communauté.
Ce n'est pas un prêtre, intermédiaire entre Dieu et les hommes.

Le rabbin est un spécialiste du judaïsme. Il s'occupe des questions spirituelles comme des problèmes pratiques et maitrise parfaitement la halakhah, la Loi juive qui réglemente tous les aspects de la vie quotidienne.

Le rabbin se couvre généralement la tête d'une **kippah** ❷ ou d'un **chapeau** noir à large bord ❸.

Le **Talit Katan** ❶ est un petit *talit*, ou débardeur pourvu de *tsitsit*, porté sous les vêtements.

La plupart des rabbins respectent l'ordre divin : « Vous n'arrondirez pas le bord de votre chevelure et tu ne couperas pas les coins de ta barbe » (Le Lévitique). Cette même injonction explique que certains juifs portent des « **papillottes** » ❹, *péot* en hébreu, des boucles de cheveux de chaque côté du visage.

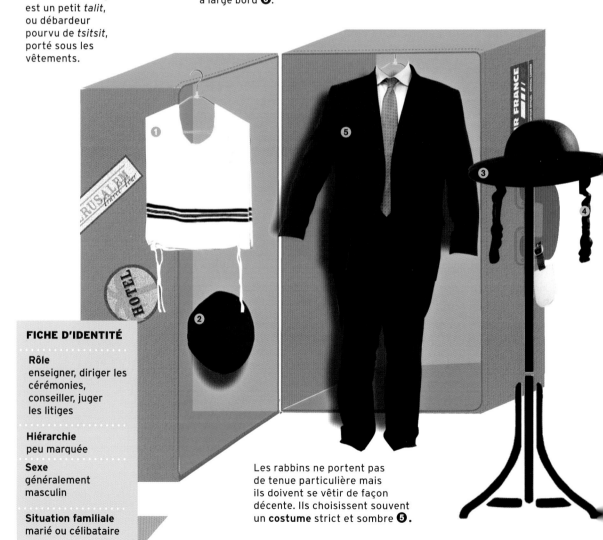

FICHE D'IDENTITÉ

Rôle
enseigner, diriger les cérémonies, conseiller, juger les litiges

Hiérarchie
peu marquée

Sexe
généralement masculin

Situation familiale
marié ou célibataire

Les rabbins ne portent pas de tenue particulière mais ils doivent se vêtir de façon décente. Ils choisissent souvent un **costume** strict et sombre ❺.

LE RAPPEL DE L'ALLIANCE

« Que tous vos mâles soient circoncis » a ordonné Dieu, en signe de son alliance avec Abraham (La Genèse). Ce commandement est à l'origine de la *brit mila*, la cérémonie de la circoncision.

Tout enfant juif de sexe masculin est circoncis **8 jours ❶** après sa naissance. Cet acte consacre l'idée que sa relation à Dieu s'étend sur tout son être et toute sa vie. C'est au père qu'incombe le devoir de sceller l'Alliance mais, s'il est empêché, la mère peut s'en charger.

Pendant la cérémonie, l'enfant est confié au sandaq. Celui-ci prend place sur un siège spécial, appelé **« trône d'Élie » ❷**, car, selon la tradition, le prophète Élie assiste à toutes les circoncisions.

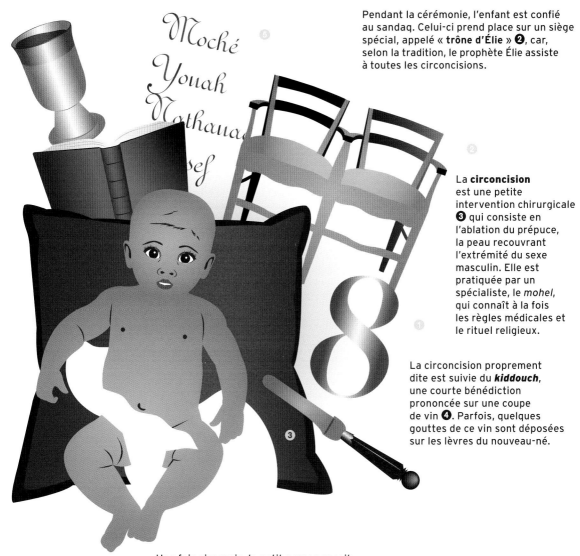

La **circoncision** est une petite intervention chirurgicale ❸ qui consiste en l'ablation du prépuce, la peau recouvrant l'extrémité du sexe masculin. Elle est pratiquée par un spécialiste, le *mohel*, qui connaît à la fois les règles médicales et le rituel religieux.

La circoncision proprement dite est suivie du *kiddouch*, une courte bénédiction prononcée sur une coupe de vin ❹. Parfois, quelques gouttes de ce vin sont déposées sur les lèvres du nouveau-né.

Une fois circoncis, le petit garçon reçoit généralement un nom hébreu. Le **« don du nom » ❺** concerne également les petites filles. Celles-ci reçoivent leur nom hébreu lorsque leur père l'annonce à la synagogue.

Moché Yonah Nathanael sef

---

e *kiddouch* est une bénédiction prononcée les jours de fête et à chaque **shabbat**. →

14

LE FILS DU COMMANDEMENT

Le jeune garçon atteint la majorité religieuse à 13 ans. Cet événement est marqué par une cérémonie appelée bar mitzvah. Dorénavant, il doit observer tous les commandements énoncés dans la Torah.

Le jeune garçon se prépare à devenir « bar mitzvah » (« fils du commandement ») dans un cours de Talmud-Torah. Il s'initie à l'hébreu, étudie la Torah et l'histoire juive, apprend les principales prières et les grands principes de la Loi juive (halakhah). Le jour de sa bar mitzvah, le jeune garçon « monte » à la Torah pour la première fois : il porte le Sefer

Le **talit** est le châle de prière. Il est rectangulaire et fini aux quatre coins par des franges appelées *tsitsit*. Celles-ci sont tressées et nouées selon un code symbolique : elles comptent 613 nœuds qui rappellent les 613 commandements de la Torah.

Lors de sa bar mitzvah, le jeune garçon porte pour la première fois les **tefilin**. Il s'agit de deux petites boîtes en cuir contenant quatre extraits de la Torah, maintenues à l'aide de lanières sur le front et sur le bras gauche.

La bar mitzvah est préparée et célébrée sous le contrôle d'un spécialiste des questions religieuses : le **rabbin**.

Torah jusqu'à la bimah, lit « sa » *paracha* et prononce un discours religieux (*dracha*). Les filles, elles, atteignent leur majorité religieuse à 12 ans et deviennent « bat mitzvah ». Mais la célébration de cet évènement est laissée au libre choix des familles. Certaines organisent une cérémonie religieuse, d'autres non.

À chaque semaine de l'année correspond un passage de la Torah, c'est la **paracha** de la semaine. Le jeune garçon est donc tenu d'étudier et de lire la *paracha* qui correspond à la date de sa bar mitzvah. Cette lecture est difficile car le texte est écrit en hébreu et doit être chanté selon des règles d'intonation précises.

Le lecteur ne suit pas les lignes du texte avec son doigt mais avec une **yad**, une tige terminée par une main à l'index pointé. Cette pratique est à la fois une marque de respect et un moyen de ne pas endommager le manuscrit.

Le bar mitzvah compte désormais dans le **minyan**, le quorum de dix hommes adultes, indispensable pour réciter certaines prières.

15 LE REPOS DU SAMEDI

Institué par le 4ᵉ commandement du Décalogue, le shabbat commémore le 7ᵉ jour de la Création, celui où Dieu s'est reposé.

Le shabbat commence le vendredi soir et se termine le samedi soir. C'est le moment de la semaine consacré à Dieu, au repos et à la communauté. Chacun porte ses plus beaux habits, les hommes vont à la synagogue, la famille et les amis se réunissent autour de repas copieux et gais. Mais tout doit être préparé la veille car, pendant le shabbat, il est interdit de travailler et si possible d'agir sur le monde matériel. Les juifs pratiquants s'abstiennent donc de cuisiner, d'écrire, de cultiver, de voyager… Ils respectent aussi l'interdiction d'allumer ou d'éteindre un feu et, par extension, de toucher à l'électricité. Cependant, aucune de ces règles ne s'applique en cas de danger pour la vie.

Lors des repas, le chef de famille récite le *kiddouch*, la bénédiction sur le vin, et le *motsi*, la bénédiction sur le pain. Il utilise **deux tresses de pain** *hallah*, qu'il rompt et distribue aux convives.

La maîtresse de maison annonce le début du shabbat en allumant **deux bougies**.

Le shabbat finit par la ***havdalah*** (séparation), une courte cérémonie durant laquelle sont dites des bénédictions sur du vin, des aromates et une bougie à plusieurs mèches.

16 LE GRAND PARDON

Yom Kippour est le jour le plus solennel de l'année juive. C'est un moment de repentir durant lequel les fidèles prient, méditent et jeûnent.

Yom Kippour, célébré le 10 tichri du calendrier religieux juif (septembre-octobre), a pour origine une injonction divine : « le dixième jour de ce septième mois, c'est le jour des Expiations » (Le Lévitique). Les juifs sont donc invités à se repentir sincèrement de leurs fautes et à demander pardon à Dieu. Ils règlent les conflits et les disputes, prient, passent de longues heures à la synagogue, observent un jeûne sans nourriture ni boisson pendant 25 heures et respectent certains interdits : ne pas se laver, se parfumer, avoir des relations conjugales et porter des chaussures en cuir. Comme pour le shabbat, ils doivent également cesser tout travail.

Le son du **chofar**, trompe fabriquée dans une corne de bélier, marque la fin de Yom Kippour.

À l'origine, Yom Kippour donnait lieu à une importante cérémonie dans le Temple de Jérusalem. Le grand prêtre sacrifiait un **bouc**, puis envoyait dans le désert un second bouc chargé symboliquement des péchés de tous les juifs : « le bouc émissaire ».

Beaucoup de juifs choisissent Yom Kippour **pour exprimer leur solidarité et faire des promesses de dons** (*tsedaka*).

L'aumône fait également partie des 5 piliers de l'**islam**. →

17

LA DESTRUCTION DU SECOND TEMPLE

En 70, l'Empire romain tout puissant détruit Jérusalem et son Temple. Cet événement désastreux conduit à l'éclatement du peuple juif. Pourtant celui-ci va réussir à maintenir son unité spirituelle et ses traditions.

70
Les juifs de Jérusalem ne peuvent résister à l'emprise de Rome. Ils sont vaincus par le général Titus qui détruit le Second Temple et réduit à l'esclavage quantité de juifs. Après la disparition du Temple les prêtres perdent leur pouvoir ; l'autorité religieuse passe aux synagogues et aux rabbins.

587 av. J.-C
Les Babyloniens, menés par le roi Nabuchodonosor, attaquent les juifs et s'emparent de leur capitale Jérusalem, détruisent leur Temple et déportent une partie de la population. Mais, en - 539, le roi perse Cyrus renverse les Babyloniens. Il libère les juifs et les autorise à reconstruire le Temple.

Sous le nazisme, les juifs étaient obligés de porter un signe distinctif : une **étoile de David** jaune.

Durant l'Antiquité, le peuple juif, installé au pays de Canaan, ne cesse de lutter contre les aspirations dominatrices de ses puissants voisins mésopotamiens, égyptiens, grecs ou romains. En vain. Tantôt occupé, tantôt déporté, il se retrouve dispersé à travers le monde. Ce phénomène est appelé diaspora. Au fil du temps deux grands groupes se forment, selon des critères géographiques et culturels : les juifs installés à l'est et au nord de l'Europe sont appelés ashkénazes, ceux établis dans la péninsule ibérique et autour du bassin méditerranéen sont appelés séfarades. Les communautés juives participent activement au développement social, économique et culturel de leurs pays d'accueil mais, parfois, ces derniers remettent en cause leur présence et les persécutent. Poussés par les événements ou par un profond désir de retour sur leur terre, certains juifs décident alors de créer leur propre État : Israël.

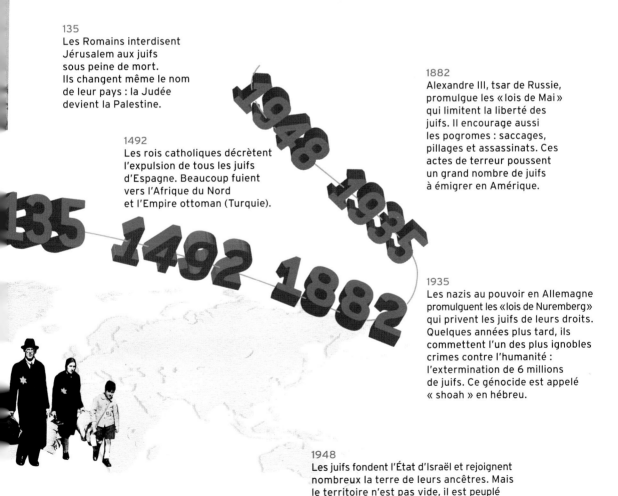

135
Les Romains interdisent Jérusalem aux juifs sous peine de mort. Ils changent même le nom de leur pays : la Judée devient la Palestine.

1492
Les rois catholiques décrètent l'expulsion de tous les juifs d'Espagne. Beaucoup fuient vers l'Afrique du Nord et l'Empire ottoman (Turquie).

1882
Alexandre III, tsar de Russie, promulgue les «lois de Mai» qui limitent la liberté des juifs. Il encourage aussi les pogromes : saccages, pillages et assassinats. Ces actes de terreur poussent un grand nombre de juifs à émigrer en Amérique.

1935
Les nazis au pouvoir en Allemagne promulguent les «lois de Nuremberg» qui privent les juifs de leurs droits. Quelques années plus tard, ils commettent l'un des plus ignobles crimes contre l'humanité : l'extermination de 6 millions de juifs. Ce génocide est appelé « shoah » en hébreu.

1948
Les juifs fondent l'État d'Israël et rejoignent nombreux la terre de leurs ancêtres. Mais le territoire n'est pas vide, il est peuplé de Palestiniens. De la confrontation de ces deux peuples naît un conflit, toujours pas résolu...

18

L'ALIMENTATION CONFORME

Les juifs suivent la *cashrouth*, un ensemble de règles qui déterminent ce qui est permis ou interdit en matière d'alimentation. Les produits « conformes » sont dits casher.

Dans le commerce les produits **casher** sont dûment contrôlés et estampillés par un tribunal rabbinique ou Beth Din.

La *cashrouth* autorise « tout ce qui a nageoires et écailles et vit dans l'eau » ; elle interdit donc la raie, l'anguille et les fruits de mer.

Tous les **végétaux** sont autorisés mais il faut bien les laver car les insectes et les parasites sont interdits !

La **volaille** est autorisé mais les ois carnivores et charogna (corbeau, mouette, hi vautour, cigogne...) sont tenus pour impur:

Pour être pures, les bêtes doivent avoir la gorge tranchée d'un coup sec, puis être vidées de leur **sang**. Ce dernier est également interdit à la consommation.

« Tout animal qui a le sabot fourchu, fendu en deux ongles, et qui rumine, vous pourrez le manger » a dit Dieu à Moïse (Le Lévitique). Le judaïsme commande donc de ne pas consommer les **animaux** qui ont des caractéristiques différentes : le porc, le lapin, le cheval...

Les juifs doivent séparer la viande du lait selon l'injonction divine « tu ne feras pas cuire un chevreau dans le lait de sa mère » (L'Exode). Ils ne doivent donc pas les consommer ensemble.

LE MESSIE

Pour les chrétiens, Jésus est le Fils de Dieu et le Messie
(ou « Christ »), l'héritier du roi David attendu par les juifs
pour sauver le monde. Il est également honoré comme prophète
par les musulmans qui le nomment Isâ.

❶ Selon les Évangiles, Jésus passe sa jeunesse à Nazareth
(Galilée) où il reçoit une éducation juive. Mais, à 30 ans,
il se fait baptiser dans le Jourdain par le prophète
contestataire Jean qui prêche la purification par le baptême.
Dès ce moment, Jean reconnaît Jésus comme Messie.

❷ Jésus mène dorénavant une vie publique. Entouré
de 12 proches disciples, il parcourt la région et annonce
la « bonne nouvelle » (« évangile » en grec) : le règne
de Dieu arrive. Il s'exprime souvent sous forme de récits
symboliques appelés « paraboles » et réalise des actes
hors du commun considérés comme des miracles.

❸ Jésus prend des libertés avec la tradition et remet en
question l'ordre établi. Il déplaît aux grands prêtres juifs.
Il dérange également l'occupant romain qui décide
finalement sa mise à mort. Après un dernier repas avec ses
disciples (cène), il est crucifié à Jérusalem. Il a environ 33 ans.

❹ Mais les Évangiles racontent que 3 jours après sa
mort, plusieurs personnes voient Jésus vivant : il est
ressuscité. Il parle à ses disciples, les charge de
répandre son enseignement à travers le monde, puis
disparaît à leurs yeux (Ascension).

Jésus est né dans une famille juive. Il a pour parents **Marie** et Joseph.

➔ 24

LA FOI EN JÉSUS-CHRIST

Le christianisme est une religion monothéiste fondée sur la croyance en un Dieu unique et éternel, formé de trois personnes divines : le Père, le Fils et le Saint-Esprit. Ce dogme, ou « mystère », s'appelle la Trinité.

Le christianisme est une religion accessible à tous. Il a affirmé son universalité au temps des premiers chrétiens, sous l'impulsion des disciples, appelés « apôtres » (du grec *apostolos*, « envoyé »). L'un des plus actifs a été Paul. En relativisant, voire abandonnant, certaines observances juives comme la circoncision ou les règles de pureté rituelle, il a ouvert l'Église naissante aux non-juifs.

Les chrétiens célèbrent le Christ qui a donné son nom au christianisme, une religion née du judaïsme qui a ensuite suivi sa propre voie.
Cependant, d'après les Évangiles, Jésus n'a jamais voulu « abolir » la Loi juive, mais l'« accomplir ».
Les Chrétiens voient en lui le Messie, le Sauveur de l'Univers, celui qui a donné sa vie pour racheter les fautes passées, présentes et futures des hommes.

Ainsi parlait Jésus :
« Heureux ceux qui ont une âme de pauvre,
Car le Royaume des Cieux est à eux.
Heureux les doux,
Car ils posséderont la terre.
Heureux les affligés,
Car ils seront consolés.
Heureux les affamés et assoiffés de la justice,
Car ils seront rassasiés »

Les Béatitudes, Évangile selon saint Matthieu

Le christianisme s'appuie sur un livre saint : la **Bible**.

La Sainte Trinité avec une
représentation du monde
selon Ptolémée   ▶

Les chrétiens croient
en Dieu le Père,
tout puissant, créateur
et maître de l'Univers.
Ils l'appellent « **Dieu** »
(*Deus* en latin) ou « notre Père ».
Certains tableaux
le représentent en vieillard.

Les chrétiens croient
en **Jésus-Christ**, fils unique
de Dieu, mort sur la croix
et ressuscité. Selon eux, il est
le Messie (*machiah* en hébreu
ou *christos* en grec) dont parle
le judaïsme. Les chrétiens
le représentent sous différentes
figures : un homme, un poisson
ou un agneau.

Les chrétiens croient
au **Saint-Esprit**, c'est-à-dire
à l'Esprit de Dieu. Il est le souffle
qui porte la grâce divine.
Il est souvent représenté
sous la forme d'une colombe
ou, parfois, de langues de feu.
Selon les Actes des Apôtres,
le jour de la Pentecôte,
des langues de feu sont
descendues sur les 12 disciples
qui, aussitôt, ont su parler
toutes les langues pour diffuser
la parole du Christ à travers
le monde.

◀ Les chrétiens sont sont bien implantés
  en Europe, en Amérique, en Australie
  et dans certaines zones d'Afrique de
  l'Ouest.

21 LA MARQUE DU CHRIST

La religion chrétienne a pour symbole la Croix, déclinée sous de multiples formes : croix latine, croix byzantine, croix huguenote, croix de Jérusalem...

Lorsque le Christ meurt sur la Croix, celle-ci n'est qu'un instrument de torture. Mais, aux yeux des premiers chrétiens, elle perd peu à peu son sens morbide pour devenir le symbole de leur religion. Il existe toutes sortes de croix. Celle montrant le Christ crucifié s'appelle le crucifix. Elle porte souvent l'inscription INRI qui signifie « Jésus de Nazareth, Roi des Juifs ».

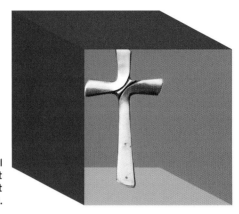

La Croix est un objet cultuel important. Elle se fait également geste, quand les chrétiens font le signe de croix.

Traditionnellement, les **églises** sont construites sur un plan en forme de croix. → 32

22 LA VENUE DU CHRIST

L'an 1 correspond à la naissance du Christ et marque le début de l'ère chrétienne. Il est largement accepté comme référence universelle.

Calculée au VIe siècle par le moine Denys le Petit, la date de naissance du Christ est devenue le point de repère de la plupart des chronologies historiques. Pourtant, les historiens actuels pensent que Denys le Petit s'est trompé et que Jésus est sans doute né au moins 4 ans av. J.-C. !

Certains historiens remplacent la notation traditionnelle avant ou après Jésus-Christ (J.-C.) par une notation sans connotation religieuse : avant ou après l'ère commune (è.c.)

L'ère musulmane se base sur l'Hégire, en l'an **622**. → 49

23

LE MESSAGE DU CHRIST

Livre saint des chrétiens, la Bible se divise en deux parties : l'Ancien Testament et le Nouveau Testament. Les Bibles orthodoxe et catholique sont légèrement différentes de la Bible protestante.

La Bible (du grec *biblion*, « livre ») se présente généralement sous la forme d'un livre. À l'origine, elle est manuscrite, recopiée et enluminée par des moines. Puis, à partir du XVᵉ siècle, elle est couramment imprimée.

La première partie de la Bible, l'Ancien Testament, reprend le TaNaK, la « Bible juive ». La seconde partie, le Nouveau Testament, est propre aux chrétiens. Elle concerne la vie et le message de Jésus-Christ, ainsi que l'organisation des premières communautés chrétiennes. Elle contient les quatre Évangiles de Matthieu, Marc, Luc et Jean, les Actes des Apôtres, les Épîtres (lettres de Paul et des Apôtres aux communautés chrétiennes) et l'Apocalypse. La Bible s'adresse au plus grand nombre. D'abord écrite en hébreu, araméen et grec, puis transcrite en latin, elle est aujourd'hui traduite complètement en quelque 460 langues. Véritable « best-seller », elle est diffusée dans le monde entier.

24 LA MÈRE DE JÉSUS

Selon les Évangiles, Marie est une femme juive de Nazareth, choisie par Dieu pour donner naissance au Christ. Elle est fiancée à Joseph, charpentier et descendant du roi David.

❶ Marie reçoit un jour la visite de l'ange Gabriel. Celui-ci lui annonce qu'elle va être touchée par le Saint-Esprit pour porter et enfanter le fils de Dieu, tout en restant vierge. C'est l'Annonciation.

❷ Alors qu'elle est enceinte, Marie se rend à Bethléem avec Joseph. Elle accouche dans une étable et, faute de mieux, dépose le bébé dans une crèche (mangeoire des animaux). Là, elle reçoit la visite de mages venus d'Orient pour honorer le nouveau-né.

❸ Alors qu'ils se trouvent à Cana, Jésus et Marie assistent à des noces. Mais, au cours de la fête, le vin vient à manquer. Marie demande à son fils d'intervenir et celui-ci transforme de l'eau en vin. Marie est donc à l'origine du premier miracle de Jésus.

❹ Marie assiste à la Crucifixion, puis participe à l'événement de la Pentecôte aux côtés des apôtres. Que devient-elle ensuite ? Les textes bibliques n'en parlent pas mais deux traditions s'opposent : soit elle reste à Jérusalem, soit elle accompagne Jean à Éphèse (Turquie) où elle vécut jusqu'à sa mort.

La naissance de Jésus, ou Nativité, est célébrée le 25 décembre, le jour de **Noël**. →

25

LE GRAND SCHISME

Le schisme de 1054 marque la séparation des chrétiens d'Occident et des chrétiens d'Orient. De cette rupture naîtront le catholicisme et l'orthodoxie.

Au XIᵉ siècle, l'Église chrétienne repose sur cinq « patriarcats », de Rome, Constantinople, Alexandrie, Antioche et Jérusalem. Mais, entre l'Occident et l'Orient, les luttes politiques sont de plus en plus vives et les divergences culturelles et théologiques se creusent. Le schisme est inévitable qui sépare l'Église catholique occidentale, dirigée par Rome, de l'Église orthodoxe orientale, conduite par Constantinople.

Pape Léon IX

Michel Cérulaire

Rome

Constantinople

1054

Entre Rome et Constantinople, rien ne va plus... et depuis un certain temps. Rome veut étendre son autorité sur les patriarcats orientaux, ce que Constantinople refuse ; Rome parle latin et Constantinople s'exprime en grec ; Rome refuse l'ordination d'hommes mariés ce qui est autorisée par Constantinople. En 1054, une grave crise oppose l'envoyé du pape Léon IX au patriarche de Constantinople, Michel Cérulaire. Les deux camps s'affrontent à grand renfort d'excommunications, et s'éloignent.

1204

Les soldats occidentaux de la quatrième croisade mettent à sac Constantinople. Traumatisés, les chrétiens d'Orient se détachent encore davantage de Rome.

À l'origine, la quatrième croisade devait reprendre **Jérusalem** aux musulmans. →

26

GARDIENNE DE LA TRADITION

L'orthodoxie constitue l'une des trois grandes branches du christianisme. L'Église orthodoxe se définit comme « la gardienne de la tradition apostolique » et se veut la continuatrice du christianisme des origines.

L'Église orthodoxe (du grec *orthos*, « droit », et **doxa**, « opinion ») fonde sa foi sur la Bible, les écrits des « Pères de l'Église » et les 7 premiers « conciles œcuméniques » (assemblées des évêques du monde entier). Elle diverge de l'Église catholique à propos de la Trinité et, plus précisément, de la relation du Saint-Esprit au Père et au Fils. Elle reconnaît une primauté d'honneur au pape de Rome, mais refuse de lui accorder une primauté « juridique » qui en ferait un juge suprême. Elle administre en même temps les trois sacrements du baptême, de la chrismation (onction d'huile sainte) et de la communion, elle célèbre les offices par des chants mais interdit les instruments de musique.

Adoration de la croix avec Constantin, sainte Hélène, le tsar Alexis, la tsarine et le patriarche Nikon, XVIIe siècle

L'Église orthodoxe se compose de plusieurs Églises territoriales, indépendantes les une des autres, surtout présentes en Europe de l'Est et au Proche-Orient.

L'Église orthodoxe célèbrent 7 sacrements, comme l'**Église catholique.**

L'HOMME DU RITE

Le prêtre célèbre les sacrements (ou mystères) et dirige le culte orthodoxe, à la fois grandiose et solennel, véritable fenêtre ouverte sur le Royaume de Dieu.

Le prêtre orthodoxe est parfois appelé « pope ». Selon les Églises territoriales, il appartient à une structure hiérarchique dirigée par un archevêque, un métropolite ou un patriarche.

Au quotidien, le prêtre orthodoxe porte souvent une simple soutane noire. Mais, au moment de la célébration du culte, il revêt **un vêtement aussi riche que symbolique**.

FICHE D'IDENTITÉ

Rôle
diriger le culte,
occuper d'une
paroisse ou mener
une vie monastique

Hiérarchie
forte

Sexe
masculin

Situation familiale
marié ou célibataire

Les prêtres orthodoxes vont tête nue ou portent une coiffe : un voile, une toque ou une **mitre ❶** (couronne ornée d'icones, surmontée d'une croix pour les évêques seulement). Beaucoup se laissent pousser la barbe en signe de maturité religieuse.

L'**épigonation ❻** est un losange représentant le glaive spirituel, c'est-à-dire la victoire du Christ sur la mort. Il est porté par les évêques et certains prêtres en reconnaissance de leur qualité.

Il porte le **sticharion ❷**, une longue tunique descendant jusqu'aux pieds, et le **phélonion ❸**, une chasuble symbolisant la gloire qui enveloppe le prêtre.

Il met l'**épitrachilion ❹** l'étole symbolisant la prêtrise qu'il ceinture avec la **zone ❺**.

Les **épimanikia ❼** sont des manchettes attachées par une longue cordelette rappelant au prêtre que ses mains sont au service de Dieu.

Chez les catholiques, l'homme chargé du culte dans une paroisse s'appelle le **curé**. → **30**

28

LE PARADIS SUR TERRE

Richement décorée, étincelante de la lumière des cierges se reflétant sur les mosaïques dorées, baignée d'encens, l'église orthodoxe plonge le fidèle dans une atmosphère merveilleuse, propre à évoquer le Royaume de Dieu.

Cette **icône** de la Vierge à l'Enfant n'est pas un simple tableau. C'est la parole de Dieu en image. Certaines icônes sont réputées faire des miracles. Leur fabrication est un acte sacré, accompagné de prières et soumis à des règles strictes : « écriture » sur une planche de bois, selon un ordre qui progresse du fond jusqu'au visage, emploi symbolique des couleurs ; le rouge évoque la vie, le blanc la pureté et la sainteté, le bleu le ciel et l'éternité.

L'**encens** emplit l'église de l'odeur parfumée du royaume divin. Il matérialise aussi la prière des fidèles qui monte vers Dieu.

Les **murs** sont couverts de fresques colorées qui se lisent de haut en bas car, selon les orthodoxes, la Connaissance vient du ciel. Ils sont également décorés de mosaïques dorées, l'or évoquant la beauté et le rayonnement du royaume divin.

La **croix orthodoxe** est constituée de trois branches horizontales : une pour l'inscription « INRI », une pour les bras du Christ et une pour ses pieds. Les orthodoxes représentent les pieds de Jésus soutenus par une planchette et cloués séparément.

L'**iconostase** est une cloison richement décorée qui sépare le chœur de la nef où se trouvent les fidèles. Il est percé de 3 entrées : les « portes royales » qui ouvrent sur l'autel, encadrées de deux portes latérales. Il est couvert d'icônes, placées selon un ordre précis, représentant le Christ, la Vierge Marie, les saints.

Le **jour du Seigneur**, le prêtre célèbre dans son église la « Divine liturgie ».

Au centre du dôme principal trône le ***Christ Pantocrator***, c'est-à-dire « tout puissant ». De la main gauche, il tient les Évangiles ; de la droite, il bénit l'Univers. Ses deux doigts tendus représentent sa double nature, humaine et divine ; les trois autres, joints, symbolisent la Trinité.

[...]ns les pays slaves, les églises sont [...] montées de **clochers à bulbe ❶**.
[...]r forme, leur couleur et leur [...]nbre sont symboliques : un bulbe [...] voie à l'unité divine, trois bulbes [...] Trinité, sept bulbes aux sept [...]rements, treize bulbes au Christ [...]ouré des douze apôtres.

La **lumière** est très importante car elle symbolise le Christ ressuscité, qui a vaincu la mort et les ténèbres. Elle provient des lustres et de la multitude de cierges que les fidèles allument devant les icônes.

La **nef** est vide, à l'exception de quelques chaises réservées aux personnes faibles. En effet, malgré la longueur des offices (entre 2 et 5 heures), les fidèles doivent rester debout.

Le **chœur** est orienté à l'est, vers la Terre sainte. Dissimulé derrière l'iconostase, il abrite l'autel, sur lequel sont placés les objets rituels.

FIDÈLE AU PAPE

Le catholicisme est l'une des trois branches majeures du christianisme. L'Église catholique reconnaît le pape comme autorité suprême et cherche à toucher le plus grand nombre.

L'Église catholique (du grec *katholikos*, universel) s'adresse à tous les hommes. Elle s'appuie sur la Bible mais accepte certaines évolutions, proposées par le pape ou les conciles. Elle reconnaît 21 conciles œcuméniques, dont « Vatican II » qui s'est tenu de 1962 à 1965 et qui a notamment autorisé la célébration de la messe en langue usuelle et encouragé la participation des baptisés laïcs. Comme les Églises orthodoxes, l'Église catholique administre 7 sacrements, signes visibles du don de Dieu : le baptême, la confirmation, l'eucharistie, la réconciliation (appelée jadis confession), l'onction des malades, l'ordre et le mariage.

◁ Le pape Clément VII (1378-1394) en train de dicter ses lois

L'Église catholique est très bien implantée en Europe de l'Ouest, en Afrique, en Amérique centrale et en Amérique du Sud. Elle compte également de nombreuses communautés à travers le monde et certaines Églises chrétiennes d'Orient (chaldéenne, maronite) adhèrent à ses principes. ▷

À partir de **1517**, le pouvoir du pape est contesté, c'est la naissance au protestantisme. → 34

30

LE RESPONSABLE D'UNE PAROISSE

Un curé est un prêtre catholique : il a reçu le sacrement de l'ordre, promis d'obéir à son évêque et accepté de rester célibataire. Mais, en plus, il a charge d'âmes : il doit s'occuper d'une paroisse.

Le curé appartient à un système hiérarchique organisé selon un découpage géographique : l'unité territoriale de base est le diocèse sous la responsabilité d'un évêque ; chaque diocèse est divisé en paroisses dirigées par des curés ; tous les diocèses reconnaissent l'autorité du pape, chargé de maintenir l'unité de l'Église catholique.

Bande de tissu assortie à la chasuble, l'**étole** ❶, ornée d'une croix, symbolise la prêtrise.

La **chasuble** ❷ est un vêtement sans manches dont la couleur varie en fonction du calendrier rituel : verte pour les célébrations ordinaires, blanche pour celles de Pâques et Noël, rouge pour celles de la Passion , violette pour celles de l'Avent et du Carême...

FICHE D'IDENTITÉ

Rôle
célébrer la messe et les fêtes, administrer les sacrements, aider les fidèles

Hiérarchie
Forte

Sexe
Masculin

Situation familiale
Célibataire

L'**aube** ❹ est une tunique longue de couleur blanche, serrée à la taille par un cordon.

L'**amict** ❸ est une pièce de tissu rectangulaire, munie de deux cordons. Il est porté par certains curés, sous leur aube, pour envelopper le col de leur habit ordinaire.

Au quotidien, le curé porte un vêtement ordinaire ou, parfois, une soutane. Mais, lorsqu'il célèbre le culte, il s'habille de vêtements particuliers.

Chez les protestants, la communauté religieuse est animée par un **pasteur**.

31 LA CITÉ DU PAPE

Le pape est l'évêque de Rome, où il réside. Il possédait au Moyen Âge des « États pontificaux » qui se sont peu à peu réduits au territoire du Vatican, reconnu comme État indépendant en 1929.

Avec ses 0,44 km², le Vatican est le plus petit État du monde, mais il possède son propre drapeau, dispose d'une armée, les gardes suisses, diffuse ses émissions de télévision et de radio, émet ses timbres et frappe sa monnaie. Le Vatican abrite les institutions de l'Église catholique. Le pape est élu à vie et dispose du pouvoir législatif, exécutif et judiciaire. Il est à la tête d'un gouvernement, la Curie romaine, divisé en plusieurs « dicastères » : congrégations pour la Doctrine de la Foi, pour la Cause des Saints ou pour l'Évangélisation des Peuples, Conseil pontifical pour le dialogue interreligieux. Le Vatican possède aussi des ambassades à l'étranger, tenues par des nonces, et un siège d'observateur permanent à l'ONU.

❷ La Place Saint Pierre

❸ Loggia des Bénédictions

❶ Basilique Saint Pierre

Outre le Vatican, les catholiques vénèrent d'autres lieux saints, comme Lourdes et **Jérusalem**.

Basilique Saint-Pierre ❶ Construite sur les restes d'une première basilique, au-dessus de la tombe de l'apôtre Pierre, l'actuelle basilique Saint-Pierre date du XVI° siècle.

Place Saint-Pierre ❷ La place Saint-Pierre est délimitée par deux colonnades en arc de cercle. Au centre se dresse un obélisque ramené d'Égypte, au sommet duquel a été placée une croix.

Loggia des Bénédictions ❸ Pour Pâques, Noël et quelques occasions exceptionnelles, le pape apparaît à la foule depuis la loggia des Bénédictions. Il y prononce une bénédiction solennelle appelée « urbi et orbi » (« à la ville et au monde »)

Tombe de Saint-Pierre « Tu es Pierre et sur cette pierre, je bâtirai mon Église » aurait dit Jésus à l'apôtre Pierre. Et Pierre devint évêque de Rome et premier pape de l'Église catholique. Son corps repose dans une crypte, sous la basilique.

L'immense **Palais du vatican** accueille les appartements du pape et de ses proches conseillers, mais aussi des bibliothèques, des archives et des musées.

La bibliothèque du Vatican recèle plus d'un million de livres dont beaucoup de manuscrits uniques au monde, comme le *Codex vaticanus* , une Bible du IV° siècle presque complète.

Commandée par le pape Sixte IV, la **chapelle Sixtine** ❹ est célèbre pour ses fresques grandioses peintes par Michel-Ange. C'est là que se tiennent les « conclaves », assemblées des cardinaux (conseillers du pape) appelés à élire un nouveau pape à la mort du précédent.

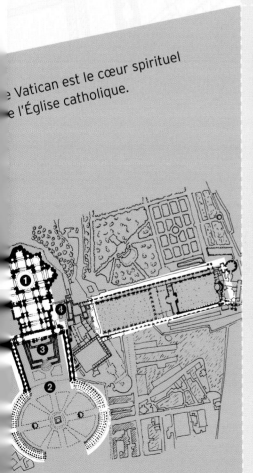

... Vatican est le cœur spirituel ... l'Église catholique.

❹ **La Chapelle Sixtine**

32 LA MAISON DE DIEU

Pour les catholiques, l'église est la maison de Dieu. En signe de respect, les hommes doivent se découvrir la tête. Il existe toutes sortes d'églises, petites ou grandes. Celles où siège un évêque sont appelées cathédrales.

Le **tabernacle** est un coffre ou un meuble utilisé pour conserver les hosties consacrées, c'est-à-dire le corps du Christ. Lorsque le Christ est présent, une lampe est allumée.

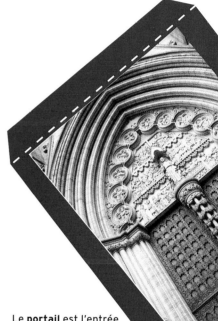

Le **bénitier** est une vasque remplie d'eau bénite placée à l'entrée de l'église. Lorsqu'ils entrent dans la maison de Dieu, les fidèles y trempent le bout de leurs doigts avant de faire le signe de croix, en souvenir de leur baptême. Les catholiques touchent de la main droite successivement le front, le cœur, l'épaule gauche et l'épaule droite, alors que les orthodoxes touchent l'épaule droite avant l'épaule gauche.

Le **portail** est l'entrée principale de l'église. Il est souvent entièrement sculpté.

Des **statues** ornent souvent l'église. Elles représentent le Christ, la Vierge Marie ou les saints. Les fidèles allument des cierges devant ces statues, se recueillent et prient. Certains demandent à tel ou tel saint de réaliser un vœu.

Les églises traditionnelles sont construites sur un plan en forme de croix. Elles sont orientées le chœur vers l'est, en direction de Jérusalem et du soleil levant qui évoque la résurrection du Christ.

Les **fonts baptismaux** sont une cuve remplie d'eau servant à célébrer le baptême. Ils sont parfois placés dans une pièce spéciale appelée « baptistère ».

Faits de verres colorés, les **vitraux** illuminent l'église de mille couleurs. Véritables œuvres d'art, ils illustrent généralement des scènes de la Bible. Jadis, ils servaient de catéchisme (instruction religieuse) aux gens du peuple qui ne savaient pas lire.

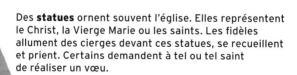

Chaque dimanche matin, le **jour du Seigneur**, le curé célèbre la messe dans son église.

Le **transept** est la nef transversale qui coupe à angle droit la nef principale et qui donne à l'église sa forme de croix.

La haute tour qui domine l'église s'appelle le **clocher** car elle abrite les cloches. Celles-ci sonnent les heures ou les grands événements : le glas annonce un décès, le tocsin donne l'alarme en cas d'incendie ou d'invasions.

L'endroit le plus sacré de l'église est le **chœur** où se trouvent l'autel et les objets du culte. Il est surélevé et séparé de la nef par quelques marches, voire une barrière. Les fidèles n'y ont généralement pas accès, sauf sur invitation du curé. L'espace derrière le chœur s'appelle l'**abside**.

La **nef** (du latin *navis*, « navire ») est la partie ouverte aux fidèles. Ceux-ci peuvent s'asseoir sur des bancs ou des chaises, mais doivent se lever aux temps forts des célébrations. Ils peuvent aussi s'agenouiller sur des prie-Dieu.

33

LA VIE EN COMMUNAUTÉ

Certains chrétiens décident d'entrer dans les ordres, autrement dit d'appartenir à un ordre religieux. Ils suivent la règle de leur ordre et vivent en communauté dans un couvent ou un monastère.

Pour devenir religieux ou religieuse, il faut prononcer trois vœux : la chasteté, la pauvreté et l'obéissance. Mais, selon l'ordre religieux choisi, le mode de vie peut être très différent.

À chaque ordre correspond un habit spécifique, mais les religieux et les religieuses s'habillent parfois de vêtements ordinaires.

Le **voile ❶** est une étoffe couvrant les cheveux en signe de séparation du monde et de consécration à Dieu. Cet élément caractéristique est à l'origine de l'expression « prendre le voile » lorsqu'une femme devient religieuse.

La **guimpe ❷** est une pièce de tissu qui cache la gorge et encadre le visage.

Cette longue pièce de tissu, le **scapulaire ❸**, est retenue aux épaules. Elle est chargée de spiritualité et symbolise la protection de la Vierge Marie.

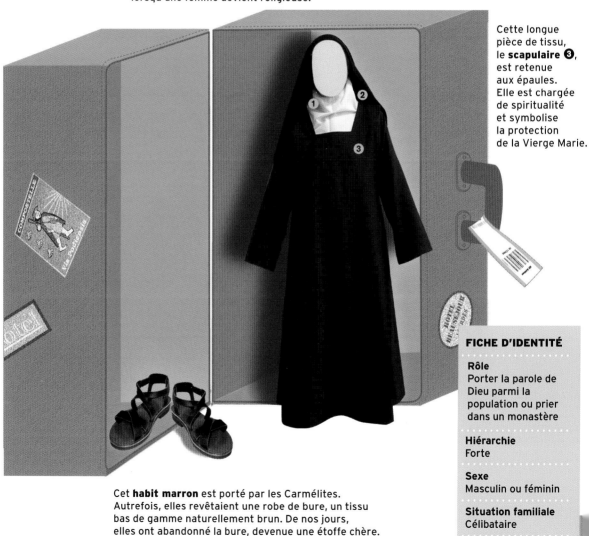

Cet **habit marron** est porté par les Carmélites. Autrefois, elles revêtaient une robe de bure, un tissu bas de gamme naturellement brun. De nos jours, elles ont abandonné la bure, devenue une étoffe chère. Dénué de fioriture, l'habit est long, ample et couvrant, en forme de croix.

FICHE D'IDENTITÉ

Rôle
Porter la parole de Dieu parmi la population ou prier dans un monastère

Hiérarchie
Forte

Sexe
Masculin ou féminin

Situation familiale
Célibataire

Dans l'**orthodoxie**, des hommes et des femmes choisissent aussi la vie monacale. → 26

34

LA NAISSANCE DE LA RÉFORME

À partir de 1517, l'Église catholique doit faire face à un fort mouvement de contestation : la Réforme. De cette remise en question des idées et des pratiques catholiques naîtront les Églises protestantes.

La Réforme est l'aboutissement d'un malaise profond. En cette fin de Moyen Âge, les bouleversements sont nombreux (prise de Constantinople par les musulmans, découverte de l'Amérique, mouvement humaniste…), mais l'Église se montre incapable de répondre aux interrogations de la population. Pire, elle est corrompue et discréditée par le mode de vie de certains papes et évêques qui s'adonnent volontiers à la guerre, au luxe et aux plaisirs de la chair.

1517
Martin Luther publie « 95 thèses » dénonçant le commerce des indulgences, c'est-à-dire la rémission des péchés contre de l'argent. Ce coup d'éclat déclenche la Réforme.

1529
En Allemagne, plusieurs villes ont suivi la Réforme. Lorsque l'empereur Charles Quint menace de restaurer le culte catholique, ces villes « protestent » (dans les deux sens du terme : «affirmer» et « contester »), d'où le nom de « protestants » adopté par les partisans de la Réforme.

1541
Rallié aux idées de Luther, le Français Jean Calvin s'établit à Genève dont il veut faire la cité protestante idéale. Juriste de formation, il organise concrètement la Réforme.

35 LE PROTESTATAIRE

Scandalisé par les abus et les déviances de l'Église catholique, Martin Luther développe une nouvelle pensée chrétienne et entre en conflit avec le pape. Il est le père de la Réforme.

❶ Né en 1483, en Allemagne, Martin Luther se prépare à une carrière de juriste quand il ressent sa vocation religieuse. Il entre au couvent des Augustins d'Erfurt en 1505, puis rejoint celui de Wittenberg. Docteur en théologie, il donne des cours sur la Bible.

❷ À l'automne 1517, le moine Tetzel parcourt l'Allemagne pour vendre des indulgences censées financer la construction de la basilique Saint-Pierre de Rome. Le 31 octobre 1517, Martin Luther s'indigne et expose à Wittenberg ses « 95 thèses » dénonçant ce trafic.

❸ En 1520, le pape Léon X promulgue une bulle (décret) déclarant «hérétiques et scandaleuses» 41 des 95 thèses de Luther. Celui-ci réagit en brûlant publiquement la bulle papale. Il est excommunié le 3 janvier 1521 et mis au ban de l'Empire par Charles Quint.

❹ Soutenu par Frédéric de Saxe, Martin Luther poursuit son œuvre. Il écrit de nombreux ouvrages et traduit la Bible en allemand, la langue du peuple. Il pense en effet que la Bible doit être comprise du plus grand nombre et placée au cœur de la religion. Il meurt en 1546.

Le **protestantisme** commémore le 31 octobre en célébrant la fête de la Réformation. →

36

RETOUR AUX SOURCES

**Les Églises protestantes, issues de la Réforme, composent
le protestantisme, l'une des trois branches principales du christianisme.
Elles prônent une foi simple, attachée à l'essentiel : Dieu et la Bible.**

Les Églises protestantes affirment que le fidèle n'a pas besoin d'intermédiaires pour s'adresser à Dieu : ni prêtre, ni pape, ni saints. Elles contestent notamment le développement du culte de Marie. Elles insistent sur le « sacerdoce universel » en vertu duquel tous les baptisés sont prêtres. Elles assurent que « le Salut est gratuit » : seule la foi sauve, pas besoin de se ruiner en indulgences ou de multiplier les bonnes actions pour « gagner son paradis ». Elles simplifient le culte et ne reconnaissent que deux sacrements : le baptême et la cène (eucharistie). Elles font de la Bible l'autorité suprême en matière de foi et encouragent les fidèles à l'étudier.

◀ Martin Luther donne aux fidèles les deux sacrements reconnus : le baptême et l'eucharistie.

▲ Les Églises protestantes se concentrent dans les pays anglo-saxons et scandinaves : Allemagne, Royaume-Uni, États-Unis d'Amérique, Afrique du Sud, Australie.

...égagés du discours officiel ...atholique, les protestants ...sent, traduisent et ...terprètent librement ... Bible. Cette tolérance religieuse est à l'origine de la diversité des courants protestants : luthérien, réformé, baptiste, méthodiste, etc.

37

LA SOBRIÉTÉ

Le temple protestant sert de lieu de réunion
pour les cérémonies. Très sobre, il est dépouillé
de fresques, de tableaux ou de statues.

La **chaire** est l'élément primordial
du temple. De là, le pasteur
lit la Bible et fait sa prédication
(commentaire biblique).

La sainte cène, commémoration
du dernier repas du Christ,
est célébrée sur une simple **table ❶**.

Les fidèles sont assis sur des **bancs**
ou debout. Ils participent au culte
notamment par des chants : chorals
de Jean-Sébastien Bach, gospels
(musiques d'origine afro-américaines)...

Le **jour du Seigneur**, les protestants se rendent au temple pour le culte. → 43

38

LE BERGER

Le pasteur est prêtre au même titre que tous les baptisés.
Mais il a reçu en plus une solide formation lui permettant
d'animer une communauté et, surtout, d'enseigner.

Rabat blanc ❶ divisé
en deux bandes qui
évoquent l'ancienne
et la nouvelle alliance.

À l'origine, cette **robe
noire ❷** et ample
était portée par les
docteurs de l'université.
Elle symbolise donc
le savoir.

Au moment du culte,
certains pasteurs
portent un vêtement
particulier. Mais rien
n'est imposé.

FICHE D'IDENTITÉ

Rôle
Diriger les
cérémonies,
administrer les
sacrements,
instruire, conseiller

Hiérarchie
Peu marquée

Sexe
Masculin ou féminin

Situation familiale
Marié ou célibataire

Jésus a dit : « Je suis le bon berger, le bon berger donne sa vie pour ses brebis. » → 19

39

L'ÉGLISE ANGLAISE

La formation de l'Église anglicane est un cas à part, mêlant la politique et la vie privée du roi au débat idéologique. Elle conduit l'Angleterre à instaurer sa propre Église, indépendante de Rome.

Traditionnellement méfiante vis-à-vis du pape, l'Angleterre rompt avec Rome à propos du divorce d'Henri VIII. Cependant le roi ne renie pas le catholicisme. Ce sont ses successeurs, gagnés aux idées de la Réforme, qui font de l'Église anglicane une religion mi-catholique, mi-protestante : organisation et décorum catholique sont conservés mais l'autorité du pape est rejetée. Ils autorisent le mariage des prêtres et valorisent la Bible.

1534
Le roi d'Angleterre Henri VIII souhaite divorcer de Catherine d'Aragon pour épouser Anne Boleyn. Il demande l'autorisation au pape mais celui-ci refuse. Qu'à cela ne tienne ! Il passe outre et promulgue l'« Acte de suprématie » qui nomme le roi chef de l'Église anglaise.

1563
Soutenus par la reine Élisabeth Iʳᵉ (fille d'Anne Boleyn), les évêques anglicans rédigent les « 39 Articles ». Ce texte, base de leur nouvelle Église, s'inspire du catholicisme et des divers courants de la Réforme.

1549
Influencé par la Réforme, écrit en anglais, le *Book of Common Prayer* (*Le Livre de la prière commune*) devient l'ouvrage de référence du culte anglican.

Après le schisme, Henri VIII ferme les monastères et confisque les biens des **religieux**. ➔

40 LA FÊTE DE LA RÉSURRECTION

Principale fête chrétienne, Pâques célèbre la résurrection du Christ. Elle constitue le point culminant d'un cycle religieux qui revient tous les ans au printemps.

Dans les zones tempérées, Pâques répond à une très ancienne tradition, celle de la fête du **printemps**. En effet, à la résurrection du Christ correspond le rallongement des jours, le retour de la lumière et la renaissance de la nature.

Du jeudi saint au dimanche de Pâques, les **cloches** cessent de sonner en signe de deuil. Selon la tradition française, elles se sont envolées pour Rome afin d'être bénies par le pape. Elles reviennent chargées de chocolats ❶ pour la plus grande joie des enfants.

L'**agneau** ❷ représente le Christ sacrifié pour sauver les hommes. Habituellement, il est servi à table le dimanche de Pâques.

Le cierge pascal est utilisé tout au long de l'année, notamment pour la célébration des **baptêmes**.

Le jour de Pâques est fixé au premier dimanche après la première pleine lune de printemps. quarante jours avant Pâques débute le Carême, une période de préparation spirituelle qui passe notamment par la prière et le jeûne. La semaine avant Pâques forme la semaine sainte dont les temps forts sont le dimanche des Rameaux qui marque l'entrée de Jésus dans Jérusalem, le jeudi saint qui rappelle la Cène, le vendredi saint qui commémore la Crucifixion et le dimanche de Pâques qui célèbre la Résurrection. Ce jour-là les fidèles se rendent à l'église pour fêter dans la joie le Christ ressuscité et la victoire de la vie sur la mort. Les cinquante jours qui suivent Pâques, ou temps pascal, sont également très importants : le jeudi de l'Ascension glorifie la montée au ciel de Jésus ; le dimanche de Pentecôte rappelle la descente du Saint-Esprit sur les apôtres.

❸ Le Dimanche de Pâques, les orthodoxes allument des **bougies** pour célébrer la résurrection du Christ.

Allumé dans la nuit du samedi au dimanche, le **cierge pascal** ❹ évoque la lumière du Christ ressuscité. Il est orné d'une croix rouge et de l'alpha et l'omega (première et dernière lettre de l'alphabet grec) car le Christ est le début et la fin de toutes choses.

Durant le carême et le **vendredi saint**, certains fidèles revivent la Passion du Christ en faisant le « chemin de Croix ». Ils suivent un parcours et prient devant 14 « stations » qui rappellent les dernières heures de Jésus.

l ne faut pas confondre Pâques avec la Pâque uive, également appelée *Pessah* (« saut » n hébreu). Cette dernière commémore a sortie d'Égypte des Hébreux et la fin le leur esclavage.

Œufs peints, œufs en chocolat ❺, œufs en bois laqué ou en pierres précieuses, les **œufs de Pâques** sont un cadeau traditionnel ancien, symbole de vie. De plus, à la fin du carême, il fallait bien utiliser les œufs pondus par les poules mais non consommés.

41

LA NATIVITÉ

Noël est le deuxième temps fort de l'année chrétienne, après Pâques. Fixée au 25 décembre, cette fête commémore la naissance de Jésus. Elle mêle rites religieux et traditions folkloriques.

La véritable date de naissance de Jésus est inconnue, mais les premiers chrétiens ont choisi le 25 décembre pour concurrencer les fêtes païennes du solstice d'hiver. Noël est précédé de l'Avent, une période de pénitence qui couvre quatre dimanches. Dans la nuit du 24 au 25 décembre, les chrétiens se rendent à une veillée.

Chez les catholiques, cette « messe de minuit » se déroule souvent autour d'une crèche. Le jour de Noël (du latin *natales*, « naissance »), d'autres cérémonies ont lieu, puis les fidèles se réunissent en famille. Repas copieux, chants, cadeaux font de cette fête un moment de réjouissance et de partage.

❶ Le **Père Noël** ne joue aucun rôle religieux. Ce personnage est né aux États-Unis au XIXᵉ siècle, s'inspirant en partie de saint Nicolas. Héros de nombreuses histoires folkloriques, il apporte des cadeaux aux enfants.

❹ La messe de minuit

❷ Le **sapin** de Noël reprend une coutume païenne très ancienne, celle de l'arbre symbole de vie qui reste vert même en hiver. Illuminé, décoré de boules et de guirlandes scintillantes, garni de friandises et de cadeaux, il évoque la joie et la prospérité. Sa lumière peut aussi rappeler celle du Christ.

❸ Marie, Joseph, « le petit Jésus », l'âne, le bœuf, les bergers et les rois mages forment la **crèche** traditionnelle. Selon les coutumes régionales, elle est « vivante », animée par de vrais figurants, ou composée de statuettes, comme les fameux santons de Provence.

Selon les chrétiens, Jésus est né le 25 décembre de l'**An 1**.

→

LE SACREMENT DE L'EAU

C'est le premier des 7 sacrements et celui par lequel tout fidèle fait son entrée dans la communauté chrétienne. C'est aussi l'union au Christ ; une renaissance dans la foi du Christ.

L'eau, symbole de vie et de pureté, peut aussi provoquer la mort. Par le baptême (du grec *baptizein*, « plonger »), le baptisé s'immerge et meurt symboliquement, laissant derrière lui son ancienne vie. Puis il renaît dans la foi du Christ, purifié.

Chez les catholiques et les orthodoxes, le signe de l'eau est suivi de l'onction d'huile sainte parfumée (ou **saint chrême**). Le prêtre oint le baptisé d'une huile sacrée qui correspond au don de l'Esprit Saint.

Le nouveau baptisé revêt généralement un **vêtement blanc**, signe de sa nouvelle vie.

La famille et les amis offrent au baptisé des cadeaux plus ou moins traditionnels, comme la **médaille de baptême**. Celle-ci représente souvent le Christ ou la Vierge Marie (sauf pour les protestants).

Offert au nouveau baptisé, le **cierge** du baptême symbolise la lumière du Christ.

Le baptême est le rite d'entrée dans la **communauté** chrétienne. Il est souvent administré aux enfants le plus tôt possible, mais il peut être donné à n'importe quel âge. Il se pratique par immersion sous l'eau ou par aspersion (de l'eau est versée sur la tête du baptisé).

Pendant la cérémonie, le baptisé reçoit **un parrain et une marraine**. Leur rôle sera de le guider dans sa foi et de veiller sur lui tout au long de sa vie.

43

LE DIMANCHE DES CHRÉTIENS

Les chrétiens évitent de travailler le jour de la résurrection du Christ : le dimanche (du latin *dies dominicus*, « jour du Seigneur »). Ils réservent cette journée à Dieu et au repos.

Alors que les orthodoxes communient pour la première fois le jour de leur baptême et que les protestants le font de manière plus ou moins informelle, les catholiques se préparent longuement à la **première communion** qui est une cérémonie solennelle.

Le **pain** rompu rappelle le corps du Christ brisé sur la Croix, tandis que le **vin** évoque le sang du Christ versé pour sauver le monde.

Une fois par semaine, les musulmans s'arrêtent eux aussi de travailler, pour la **prière du vendredi**.

Chaque dimanche, les chrétiens célébrent la résurrection du Christ. Ils lisent la Bible, prient et, à travers la communion, revivent la Cène telle qu'elle est décrite dans la Bible. Jésus prit du pain, le bénit et le distribua aux disciples en disant : « Prenez, mangez, ceci est mon corps. » Puis, il leur tendit une coupe de vin béni en disant : « Buvez-en tous, car ceci est mon sang. » Mais tous les chrétiens ne suivent pas exactement les mêmes rites. Les catholiques se rendent à la « messe ». Ils suivent la liturgie de la parole (lectures, commentaires, chants et prières) puis celle de l'eucharistie (consécration du pain et du vin, communion). Les orthodoxes célèbrent la « Divine liturgie » : la proscomédie (préparation du pain et du vin derrière l'iconostase), la liturgie de la parole et celle des fidèles (consécration du vin et du pain, communion). Quant aux protestants, ils se rendent au « culte ». Leur office est centré sur la lecture de la Bible et la prédication du pasteur ; il n'inclut pas systématiquement la célébration de la sainte cène (communion).

Sur la miche de pain utilisée pour la **proscomédie** ❶ sont dessinés des signes rituels. À l'aide d'une lancette, le prêtre détache d'abord « l'Agneau », un carré contenant les lettres IC XC NI KA : Jésus-Christ vainqueur. Puis il prélève un grand triangle pour la Vierge Marie, neuf triangles pour les saints, une série de petits triangles pour les vivants et une autre série pour les morts.

Les protestants ne pensent pas que le pain et le vin puissent être transformés. Certaines Églises croient que la présence du Christ est spirituelle, d'autres qu'elle est symbolique. Pour communier, les protestants forment un cercle et se passent un **plateau de pain** et une coupe de vin.

Les catholiques croient que le pain et le vin consacrés sont le corps et le sang du Christ. Le plus souvent, ils communient sous une seule espèce : le pain. Celui-ci se présente généralement sous la forme d'une **hostie** ❷, une fine rondelle de pain azyme (non levé).

Les orthodoxes croient aussi en la présence réelle du Christ par le pain et le vin consacrés. Ils communient sous les deux espèces : le pain est trempé dans le vin et déposé dans la bouche du fidèle à l'aide d'une **cuillère**.

L'encens ❺, diffusé à l'aide d'encensoirs, est un élément particulièrement important de la « Divine liturgie ».

Certains objets sont spécifiques à la liturgie de l'eucharistie : le calice ❸ qui contient le vin et la patène qui recueille l'hostie. Mais aussi le ciboire ❹, un vase fermé d'un couvercle, utilisé pour conserver les hosties consacrées.

44

LE PROPHÈTE

Pour les musulmans, Muhammad est le prophète ultime, celui qui a fait connaître l'islam. Il est souvent désigné sous le nom de Mahomet par les Occidentaux.

❶ Né vers 570, à La Mecque (actuelle Arabie saoudite), Muhammad est caravanier. Selon la tradition musulmane, son destin bascule en 611, quand l'ange Jibril (appelé Gabriel par les juifs et les chrétiens) lui apparaît et lui annonce que Dieu l'a choisi pour transmettre sa parole.

❷ D'abord paniqué, Muhammad s'habitue peu à peu aux visites répétées de l'ange Jibril et accepte son rôle de messager. Il prêche l'obéissance à Dieu, unique et tout puissant, attire des disciples mais provoque les foudres de nombreux Mecquois attachés aux idoles.

❸ Persécuté, Muhammad quitte La Mecque en 622 et s'installe à Yathrib (futur Médine). Chef religieux, politique et militaire, il organise sa communauté et fait face à ses ennemis mecquois. En 624, il remporte sa première grande victoire à Badr.

❹ Muhammad combat ses ennemis pendant plusieurs années et finit par conquérir La Mecque en 630. À la Kaaba, il détruit les idoles mais épargne une icône de la Vierge à l'Enfant. Il s'appuie sur le Coran pour établir les bases de la loi islamique et meurt en 632.

À la mort de Muhammad, une guerre de succession éclate et mène à la scission de **656**. ➜

45 LA PAROLE DIVINE

Le Coran est le livre saint des musulmans. Révélé et transcrit en arabe, il contient le message de Dieu transmis au prophète Muhammad par l'intermédiaire de l'ange Jibril.

Le Coran commence par « al-Fatiha », une sourate très importante, généralement apprise par cœur. Il se divise ensuite en deux groupes : les sourates mecquoises, purement religieuses, et les sourates médinoises, plus sociales et juridiques.

Pendant plus de vingt ans, le Prophète reçoit la parole divine et la « récite » à ses disciples. Ces derniers la transcrivent ensuite dans un livre : le Coran (de l'arabe *qur'ân*, « lecture par excellence »). Celui-ci se compose de 114 chapitres, ou « sourates », divisés eux-mêmes en versets, ou «*âyât*». Le Coran énonce les principes fondamentaux de l'islam tout en perpétuant un certain héritage biblique, notamment à travers les histoires d'Adam, Nûh (Noé), Ibrâhîm (Abraham), Youssef (Joseph), Moussa (Moïse), Maryam (Marie) et Isa (Jésus).

Le Coran est récité, ou plutôt psalmodié, lors des prières quotidiennes et de la **prière du vendredi**. →

46

DANS LES PAS DE MUHAMMAD

L'islam proclame le monothéisme, comme le judaïsme et le christianisme.
Mais, aux yeux des musulmans, il en est la forme parfaite et définitive.
Il se fonde sur le Coran et la tradition du prophète Muhammad.

LES 5 PILIERS DE L'ISLAM

· LA PROFESSION DE FOI (CHAHADA) :
« IL N'Y A DE DIEU QUE DIEU ET
MUHAMMAD EST SON MESSAGER »

· LA PRIÈRE (SALAT) CINQ FOIS
PAR JOUR

· L'AUMÔNE (ZAKAT)

· LE JEÛNE (SAWM) DU RAMADAN

· LE PÈLERINAGE À LA MECQUE (HAJJ)

L'islam est une religion universelle, elle s'adresse à tout l'univers et plus particulièrement aux êtres humains. Pour y adhérer, il suffit de prononcer sincèrement la *chahada* devant au moins deux musulmans.

Les fidèles de l'islam (qui signifie « obéissance à Dieu ») sont les musulmans. Ils croient au Dieu d'Abraham qu'ils nomment généralement « Allah », mais qu'ils peuvent désigner sous 98 autres noms : « Seigneur », « le Tout-Miséricordieux », « le Très-Haut »...

Les musulmans attachent également de l'importance à la notion de *jihad* ou « effort ». Mais il ne faut pas confondre le « grand jihad » et le « petit jihad ». Le premier est une lutte intérieure que le fidèle mène contre ses mauvais instincts, alors que le second est un combat extérieur pour maintenir un ordre juste. Il incite parfois les fidèles à prendre les armes, notamment pour défendre leur vie, leur dignité, leur famille ou leurs biens.

▲
Les musulmans sont particulièrement nombreux au Moyen-Orient, en Afrique, au Pakistan, en Afghanistan et en Indon—

La *charia* prescrit certaines règles alimentaires et définit les produits autorisés, ou **halal**.

Ainsi parlait Muhammad :

« Aucun d'entre vous n'est un vrai croyant tant qu'il n'aime pas pour son frère ce qu'il aime pour lui-même. »

Hadîth rapporté par al-Bukhârî et Muslim

◄ Cette calligraphie de la mosquée Sokullu, à Istanbul, est une sourate du Coran.

L'islam ne délivre pas seulement un message spirituel. À travers la *charia*, ou « loi islamique », il encadre concrètement les relations et les activités humaines. La *charia* s'appuie essentiellement sur le Coran (Parole divine) et la sunna (Tradition prophétique) constituée de *hadiths* qui rapportent les dires, les comportements et les actes du Prophète.

Les musulmans respectent les grandes figures bibliques comme Noé, Abraham ou Moïse. Ils reconnaissent aussi Jésus qu'ils voient comme un prophète d'exception. Mais ils croient que Muhammad est le dernier messager de Dieu, c'est-à-dire le « sceau de Dieu », celui qui a scellé le message divin.

Cette calligraphie signifie Allah, ▶ nom donné à Dieu par les musulmans.

47

LE RASSEMBLEMENT DES FIDÈLES

Chaque vendredi, les musulmans se rassemblent à la mosquée pour la prière commune. Ce jour-là, ils ont coutume de se reposer et de se rendre visite.

Apprécié pour la qualité de sa voix, le **muezzin** appelle les fidèles à la prière, c'est l'*adhan*. Il se tient généralement au sommet du minaret de la mosquée.

Le *takbir* désigne la formule *Allah Akbar* qui signifie « Dieu est le plu grand ». Elle est utilisée pour clam la foi musulmane.

« Tourne donc ton visage vers la mosquée sacrée. Où que vous soyez, tournez votre visage dans sa direction » dit le Coran (Sourate 2). Au début, Muhammad priait vers Jérusalem mais, à partir de l'Hégire, il lui est révélé d'orienter sa **prière** en direction de La Mecque, également appelée *qibla*.

Bien souvent les fidèles font la prière sur un **tapis de prière** qui possède généralement un motif central en forme de *mihrab* (niche indiquant la direction de La Mecque), parfois agrémenté d'une boussole.

À la **mosquée,** l'imam prononce la *khoutba* depuis une tribune appelée *minbar*.

am, la
s règles
une
urner vers
r en levant
es oreilles,
tres
e 2 et 4
s doivent
jour :
après-

midi, au crépuscule, en soirée.
Dans la mesure du possible,
les fidèles doivent aussi
se rendre à la prière collective,
le vendredi midi. Cet office est
dirigé par un imam qui prononce
la *khoutba* ou « discours », guide
la prière et psalmodie le Coran,
c'est-à-dire le récite avec art,
selon des modulations et des
intonations harmonieuses.

rière
tions.
'at :
aumes
out

soujoud ❸ : le front et les paumes de ses mains
au sol, le fidèle se prosterne
joulous ❹ : le fidèle se tient assis sur ses talons,
les mains sur les cuisses

Avant chaque prière, les fidèles doivent se
purifier. Il existe trois sortes d'**ablutions**.
Les « grandes ablutions » qui obligent à
se laver entièrement et méticuleusement ;
les « petites ablutions » qui consistent
à se laver trois fois les mains, la bouche,
le nez, le visage, les avant-bras et les
pieds avec de l'eau ; les « ablutions sèches »
pratiquées lorsque l'eau fait défaut.
Dans ce cas, les fidèles exécutent
les gestes rituels après avoir touché un
élément propre : sable, pierre, terre...

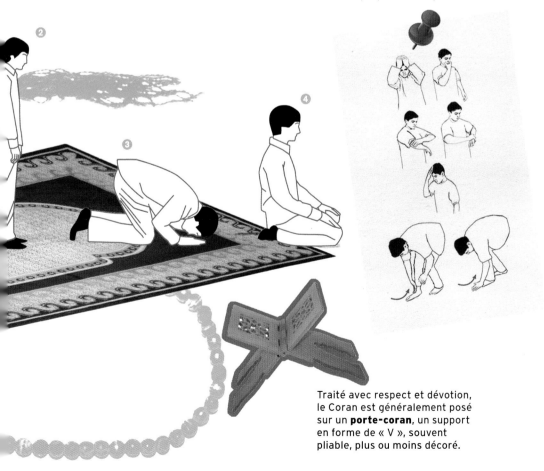

Traité avec respect et dévotion,
le Coran est généralement posé
sur un **porte-coran**, un support
en forme de « V », souvent
pliable, plus ou moins décoré.

48 LE GUIDE DE LA PRIÈRE

L'imam est « celui qui se tient devant ». Généralement il s'agit d'un homme sage et instruit, désigné par sa communauté pour diriger la prière collective.

Dans certains pays, il est entouré d'autres experts : les « oulémas » sont des savants, les « cadis » des juges civils et religieux, les « mouftis » des interprètes de la *charia* qui émettent des avis appelés *fatwas*.

Comme tous les fidèles, l'imam doit s'habiller convenablement et cacher obligatoirement la partie de son corps située entre le nombril et les genoux.

L'imam porte généralement un vêtement ample, le *kamis* ❶, qui ne souligne pas ses formes et ne le gêne pas pendant la prière.

Presque tous les imams portent la **barbe**, comme le conseille la Sunna.

Les imams se couvrent généralement la tête, surtout pour prier, d'un turban ou d'une *chachia* ❷ (bonnet).

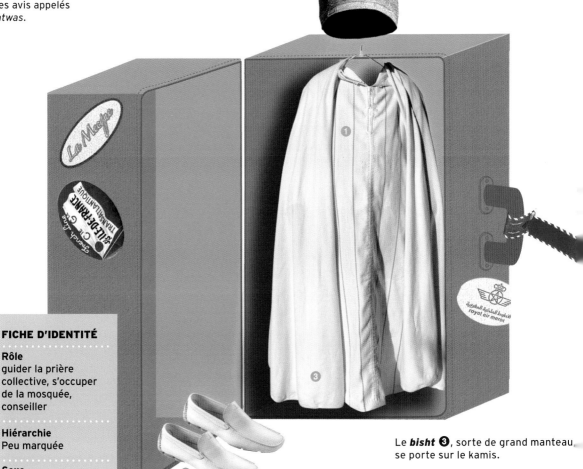

FICHE D'IDENTITÉ

Rôle
guider la prière collective, s'occuper de la mosquée, conseiller

Hiérarchie
Peu marquée

Sexe
Généralement masculin

Situation familiale
Célibataire ou marié

Le *bisht* ❸, sorte de grand manteau se porte sur le kamis.

Il se chausse de **sandales** ❹ ou autres chaussures faciles à enlever car tout musulman doit se déchausser pour les ablutions et pour entrer dans une mosquée.

Le rôle de l'imam est plus ou moins important. Il est essentiel dans le **chiisme**.

49

L'ÉMIGRATION

L'ère musulmane démarre en 622, lorsque le Prophète quitte La Mecque pour Médine. Cet événement s'appelle l'Hégire, « émigration » en arabe.

Les musulmans ont choisi cette date car l'Hégire marque une rupture fondamentale : en quittant La Mecque, Muhammad abandonne l'organisation sociale traditionnelle, basée sur les liens du sang (la famille et le clan). À Médine, il instaure un nouveau modèle social, fondé sur une foi commune. Ainsi naît l'oumma, la « communauté des croyants ».

À l'an 2000 de « l'ère commune » correspond l'an 1420 de l'ère musulmane. Les comptes ne tombent pas justes car le calendrier lunaire musulman est plus court que le calendrier solaire commun.

Ramadan est le neuvième des douze mois du calendrier musulman.

→ 52

50

L'EMBLÈME DE L'ISLAM

Le croissant de lune est un symbole récent de l'islam. Mais il est aujourd'hui repris par de nombreux pays ou organismes musulmans.

Simple motif de décoration à l'origine, le croissant devient l'emblème de l'Empire ottoman vers le XVe siècle. Il est ensuite occasionnellement associé à l'islam, puis tardivement utilisé comme son principal symbole, souvent associé à l'étoile ou à la couleur verte. Actuellement, le sigle du Croissant-Rouge désigne un organisme humanitaire en fédération avec la Croix-Rouge.

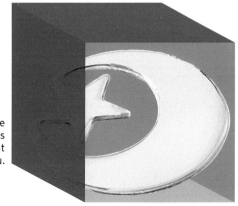

Turquie, Pakistan, Algérie ou Mauritanie, beaucoup de pays musulmans arborent le croissant sur leur drapeau.

lacé au sommet du minaret, le croissant orne certaines **mosquées**.

→ 51

51 LE LIEU DE RÉUNION

Petites ou grandes, traditionnelles ou ultra-modernes, il existe des mosquées de tous les styles. Elles servent de lieu de rassemblement aux musulmans, pour la prière, l'enseignement religieux et la vie communautaire.

Selon la tradition musulmane, l'architecture des mosquées prend pour modèle la maison du prophète Muhammad à Médine : une grande cour sur laquelle ouvrent différentes salles.

Généralement bordée de portiques ombragés, la cour est un lieu très important où les fidèles méditent, lisent, se rencontrent, discutent.

Le *mihrab* est la niche qui indique aux fidèles la *qibla*, c'est-à-dire la direction de La Mecque. Richement décoré, il se compose généralement de deux colonnes surmontées d'une arche.

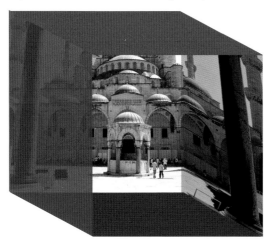

Certaines mosquées accueillent une école (*medersa* ou *madrasa*) car l'islam accorde une grande importance à l'instruction. Les jeunes y reçoivent un enseignement essentiellement religieux ; ils y apprennent aussi à lire et à écrire l'arabe.

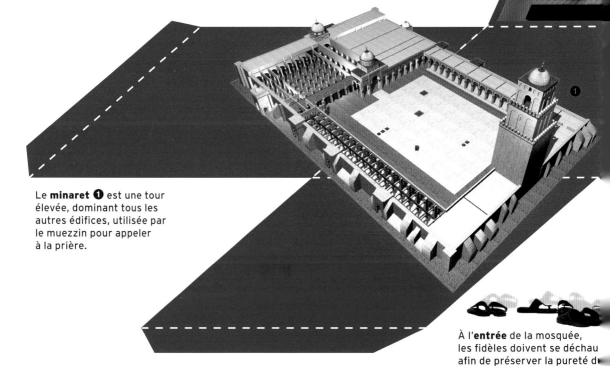

Le **minaret** ❶ est une tour élevée, dominant tous les autres édifices, utilisée par le muezzin pour appeler à la prière.

À l'**entrée** de la mosquée, les fidèles doivent se déchau[sser] afin de préserver la pureté d[...] Ils sont également invités à p[...] une tenue convenable et pro[...]

Al-Masjid al-Nabawi, la mosquée du Prophète à Médine, abrite la tombe de **Muhammad.**

Situé à la droite du mihrab, le **minbar** est une tribune haute utilisée par l'imam lorsqu'il prononce un discours. Cet élément est souvent très travaillé, en marbre ou en bois incrusté de nacre ou d'ivoire.

Les musulmans considèrent l'écriture comme un art majeur, appelé **calligraphie**. Aussi ornent-ils volontiers leurs mosquées de citations du Coran, finement calligraphiées, sculptées dans la pierre ou peintes sur des carreaux de faïence.

Fontaine des ablutions
où viennent se purifier les fidèles

La **salle de prière** est souvent couverte d'un toit en forme de dôme.

Les mosquées sont dépourvues de statues ou de peintures représentant des êtres vivants car l'islam rejette la vénération des images. La décoration se concentre donc sur d'autres motifs, principalement des entrelacs de végétaux et des figures géométriques.

La salle de prière est le cœur de la mosquée. Elle est plutôt sobre et possède très peu de meubles. Les fidèles s'assoient et se prosternent à même le sol, sur des tapis ou des nattes. Les hommes sont séparés des femmes qui se tiennent soit à l'arrière, soit de l'autre côté d'un rideau ou d'un mur.

La salle de prière est éclairée de belles **lampes** sur lesquelles sont parfois écrits des passages du Coran : « Dieu est la lumière des cieux et de la terre. Il en est de Sa lumière comme d'une niche où se trouve une lampe… » (Sourate 24)

52 LE MOIS DU JEÛNE

Chaque année, durant le mois de ramadan, les musulmans jeûnent comme le commande le 4e pilier de l'islam. C'est le mois du début de la révélation divine.

Le mois de ramadan est une période de foi intense, pendant laquelle les musulmans s'abstiennent de manger, de boire, de fumer et d'avoir des relations charnelles, depuis l'aube jusqu'au coucher du soleil, afin d'éprouver leur capacité à dominer leur corps et leur esprit. Ils évitent aussi toute mauvaise action, même par la pensée, et se montrent particulièrement charitables envers les pauvres. Ils prient plus que d'habitude et, souvent, passent une partie de la nuit à la mosquée pour prier en groupe et réciter le Coran. Vers la fin du ramadan, les fidèles célèbrent Laylat al-Qadr, la « Nuit du destin », qui commémore la « descente » du Coran. Certains restent toute la nuit à la mosquée.

Le jeûne ne s'impose ni aux malades ni aux enfants. Il est généralement pratiqué à partir de l'adolescence, progressivement : un jour à jeun, puis deux, puis trois, etc.

Chaque soir, en famille ou à la mosquée, les fidèles rompent le jeûne, c'est l'**iftar**. Ce dîner convivial est souvent agrémenté de pâtisseries orientales.

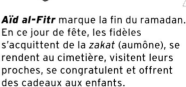

Aïd al-Fitr marque la fin du ramadan. En ce jour de fête, les fidèles s'acquittent de la *zakat* (aumône), se rendent au cimetière, visitent leurs proches, se congratulent et offrent des cadeaux aux enfants.

La *zakat*, ou l'aumône, est le 3e pilier de l'**islam**.

53

LA NOURRITURE AUTORISÉE

Les musulmans respectent un code alimentaire. Ils consomment les produits *halal*, permis, et rejettent les produits *haram*, interdits.

« Vous sont interdits la bête morte et le sang et la chair de porc, et ce sur quoi on a invoqué quoi que ce soit d'autre que Dieu, et la bête étouffée ou morte d'une chute ou morte d'un coup de corne, et celle qu'une bête féroce a dévorée… » (Sourate V)

« Vous sont permises, aujourd'hui, les choses excellentes ; et permise la nourriture de ceux à qui le Livre a été donné, et votre propre nourriture leur est permise… » (Sourate V). Le Coran autorise donc les musulmans à manger la viande des juifs et des chrétiens, sauf le **porc**.

La viande de porc est *haram*, donc strictement interdite.

« Ho, les croyants ! Oui, le vin, le jeu de hasard, les pierres dressées, les flèches de divination ne sont qu'ordure, œuvre du diable. Donc, à écarter. » (Sourate V) Autrement dit, le Coran interdit la consommation d'**alcool**.

Pour que la viande soit *halal*, l'animal doit être conduit vivant à l'abattage et sacrifié selon des règles précises : le sacrificateur le tourne vers La Mecque et l'égorge promptement, afin d'éviter les souffrances inutiles, en prononçant la formule « Au nom de Dieu ».

Le **sang** est *haram*. Il ne fait donc pas partie des aliments consommables.

La consommation de viande de porc est interdite dans l'islam et dans le **judaïsme**. → 05

54 LE COEUR DE L'ISLAM

La Mecque est la première ville sainte de l'islam. Chaque année elle accueille le *hajj*, le principal pèlerinage musulman, 5e pilier de l'islam.

Aux yeux des musulmans, La Mecque, en Arabie saoudite, est avant tout la ville natale du Prophète et l'emplacement de la Kaaba, l'édifice sacré débarrassé des idoles par Muhammad et rendu à Dieu. S'y rendre, au moins une fois dans sa vie, est une obligation pour tous les musulmans qui en ont les moyens.

❺ Lapidation des piliers

À leur arrivée, les fidèles doivent se purifier : faire leurs grandes ablutions et revêtir l'***ihram***, un vêtement composé de deux pièces d'étoffe blanche, non cousues.

❶ Le premier jour, les pèlerins se rendent à la mosquée **Al-Masjid al-Haram**, au centre de laquelle se dresse **la Kaaba**. Ils y accomplissent le *tawaf* : tourner sept fois autour de la Kaaba en essayant de toucher, voire d'embrasser, la pierre noire.

❷ Après le *tawaf*, les pèlerins parcourent sept fois le trajet entre les roches de Safa et Marwa, avant de boire l'eau de la **source Zemzem.** Cette étape commémore la course folle d'Agar à la recherche d'eau pour son fils Ismaël et l'apparition miraculeuse de la source Zemzem.

❸ Au terme de la première journée, les pèlerins campent à **Mina**, à 8 km de La Mecque.

❹ Le matin du deuxième jour, les pèlerins gagnent **le mont Arafat**, distant de 14 km. Là, ils vivent l'étape la plus importante du pèlerinage : implorer le pardon de Dieu en restant sur place pendant de longues heures (woukouf).

❺ Le soir, les pèlerins rentrent à Mina, en passant par **Muzdalifa**. En chemin ils ramassent des petits cailloux qui serviront à lapider les piliers de Min‹

❻ Le troisième jour, c'est l'Aïd el-Kébi› En souvenir d'Abraham, qui a égorgé un bélier à la place de son fils, les pèler‹ sacrifient un animal: bélier, mouton, ch‹

Les derniers jours du hajj, les pèlerins se coupent ou se rasent les cheveux. Ils consacrent leurs après-midi à **lapid‹ trois piliers** qui symbolisent le Mal ca› par trois fois, Iblis (le diable) a voulu détourner Abraham du sacrifice.

❼ De retour à la Mecque, les pèlerins finissent le *hajj* par un dernier *tawaf*.

La Mecque est un territoire sacré, réservé aux fidèles de l'**islam**.

Les musulmans considèrent **la Kaaba** ❶ (« cube » en arabe) comme la maison de Dieu. Elle est vide mais recèle, enchâssée dans un mur, une pierre noire « venue du ciel » (une météorite). Certains disent qu'il s'agirait d'une pierre du Paradis, capable d'absorber les péchés de ceux qui la touchent.

❶ la Kaaba

Appelé *hajj*, ce pèlerinage, institué par le Coran, se déroule du 8 au 13 du mois de Dhou al-Hijja, selon un rituel précis.

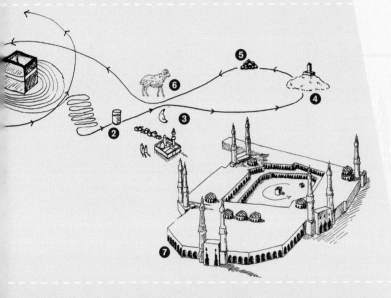

le mont Arafat

55

LA GRANDE FÊTE

L'Aïd el-Kébir (« grande fête » en arabe) a lieu le 10 du mois de Dhou al-Hijja. Il est également appelé Aïd al-Adha, « fête du sacrifice » en arabe.

L'Aïd el-Kébir commémore la soumission d'Abraham à Dieu et le sacrifice d'Ismaël remplacé *in extremis* par un bélier. Cette fête est un moment de partage et de réjouissance qui rassemble tous les musulmans, qu'ils soient en pèlerinage à La Mecque ou chez eux. Pour l'occasion, ceux qui en ont les moyens achètent et sacrifient un animal. Ils en distribuent une partie à leurs amis et voisins, en offrent aux pauvres et consomment le reste en famille lors d'un repas joyeux. L'Aïd el-Kébir est également appelée « fête du mouton » car l'animal sacrifié est généralement un mouton. Mais, il peut parfois s'agir d'un autre animal : chèvre, vache ou chameau.

Le matin de l'Aïd el-Kébir, les fidèles se rendent à la mosquée pour une prière collective.

L'animal sacrifié doit être sans défaut apparent : ni malade, ni trop maigre, ni borgne, ni boîteux. De plus il doit avoir atteint un âge minimal (six mois pour un **mouton**).

Parfois les musulmans organisent un **méchoui**, c'est-à-dire qu'ils cuisent à la broche un mouton entier.

Pour l'Aïd el-Kébir, les **enfants** portent des vêtements neufs et ont droit à quelques pièces ou à un petit cadeau.

Dans le **judaïsme** et le **christianisme**, le fils d'Abraham sauvé n'est pas Ismaël mais Isaac. ➔ 05 20

56

LA BATAILLE DU CHAMEAU

À la mort de Muhammad éclate un conflit de succession qui mène à la division de la communauté musulmane en deux groupes principaux : les sunnites et les chiites.

À partir de 632, des califes (« successeurs » en arabe) remplacent Muhammad à la tête de l'islam : Abu Bakr, Omar, Othman et Ali. Mais les dissensions politiques sont nombreuses et les luttes de pouvoir violentes, donnant naissance à deux camps rivaux irréconciliables : les fidèles d'Othman et les partisans d'Ali. Les premiers sont à l'origine du sunnisme, les seconds du chiisme.

656
Après Omar en 644, Othman est lui aussi assassiné en 656. Cet événement tragique met le feu aux poudres. Les fidèles d'Othman, soutenus par Aïcha, l'épouse préférée du Prophète, contestent la nomination d'Ali comme quatrième calife et affrontent ses partisans à la « bataille du chameau ».

657
Se réclamant des fidèles d'Othman, l'ambitieux Muawiya tente de renverser Ali à la bataille de Siffin. Mais le conflit s'enlise et les deux hommes décident de négocier.

661
Une partie des partisans d'Ali n'admettent pas la négociation acceptée par Ali à Siffin. Ils se retournent contre leur chef et l'assassinent à Koufa. Appelés Kharijites, leurs descendants représentent aujourd'hui une branche très minoritaire de l'islam.

Ali est l'époux de Fatima, la fille de **Muhammad** et sa première épouse Khadija.

LE RESPECT DE LA TRADITION

Le sunnisme est l'une des deux branches principales de l'islam.
Il se veut le fidèle gardien de la Tradition (*sunna* en arabe),
à travers quatre grands courants de pensée.

De nos jours, le premier pays musulman du monde est **l'Indonésie**, devant le Pakistan et le Bangladesh.

Sur cette illustration le Prophète est représenté voilé, entouré de ses quatre premiers califes : Abu Bakr, Omar, Othman et Ali.

Fidèles à la tradition, les sunnites ont toujours reconnu l'autorité des quatre premiers califes. Selon eux, Abu Bakr, Omar et Othman, les compagnons du Prophète, sont aussi légitimes que son gendre Ali. Par la suite, les sunnites ont perpétué le califat, institution politico-religieuse tantôt triomphante tantôt chancelante. Mais, en 1924, le président turc Atatürk l'a supprimé. Depuis, les sunnites ne se réclament plus d'aucun chef suprême, ni d'aucun clergé unifié.

Aux premiers temps de l'islam est né l'***ijtihad***, l'effort de réflexion nécessaire à l'interprétation des textes sacrés (Coran et sunna) pour en déduire des principes et des lois applicables dans la vie quotidienne. Afin d'éviter une multiplication anarchique des interprétations, la plupart des savants sunnites considèrent que « la porte de l'*ijtihad* » est fermée depuis le XIe siècle et n'admettent que quatre courants de pensée ou écoles juridiques.

Les sunnites représentent à peu près 90 % des musulmans. Ils sont surtout présents en Afrique, dans la péninsule Arabique, dans les Balkans, en Turquie, en Asie centrale et en Extrême-Orient.

Contrairement au sunnisme, le **chiisme** ne reconnaît qu'un seul des quatre premiers califes : Ali.

L'école hanafite, fondée par Abou Hanifa au VIIIᵉ siècle. Plutôt ouverte, cette école privilégie la réflexion personnelle et une certaine liberté d'opinion. Elle est considérée comme la plus libérale des écoles juridiques. Elle est bien implantée en Turquie, dans les Balkans, en Asie centrale, en Inde et en Chine.

L'école malékite, créée par Malik ibn Anas au VIIIᵉ siècle. Ce courant s'inspire des us et coutumes de Médine mais se montre conciliant envers l'intégration des usages locaux. Il est surtout présent au Maghreb et en Afrique de l'Ouest.

L'école châféite, fondée par Al-Châfé'i au IXᵉ siècle. Compromis entre l'école hanafite et l'école malékite, cette école suit le Coran, la sunna et les traditions locales, sans exclure une certaine réflexion personnelle. Elle est majoritaire en Égypte, en Afrique de l'Est, en Malaisie et en Indonésie.

L'école hanbalite, créée par ibn Hanbal au IXᵉ siècle. Rejetant toute réflexion personnelle, cette école interprète le Coran et la sunna de façon stricte. Elle est considérée comme la plus rigide des écoles juridiques. Elle est fermement installée en Arabie Saoudite sous une forme encore plus rigoureuse : le wahhabisme.

58

LE PARTI D'ALI

Le chiisme forme l'une des deux grandes branches de l'islam. Il met en avant l'autorité d'Ali et de ses descendants, les imams. Il suit les préceptes de l'école juridique jafarite, fondée par Jafar as-Sâdiq au VIIIe siècle.

Pour les chiites, « la porte de l'*ijtihad* » n'est pas fermée. Ils continuent leur effort d'interprétation des textes sacrés, ce qui leur permet de s'adapter aux circonstances. Ils suivent le Coran et la sunna mais ne se réfèrent pas forcément aux mêmes *hadiths* que les sunnites. Ils respectent les cinq piliers de l'islam mais les modifient un peu. Par exemple, ils ajoutent à la *chahada* la formule « et Ali est l'ami de Dieu ».

Sensibles au culte des martyrs, les chiites commémorent chaque année la mort d'Hussein, le troisième imam, massacré à Kerbala par le calife Omeyyade de Damas. Lors de la fête d'Achoura, ils manifestent vivement leur douleur et se flagellent parfois jusqu'au sang. Ils considèrent Kerbala (Irak actuel) comme l'une de leurs principales villes saintes, avec Nadjaf (Irak actuel) où se trouve la tombe d'Ali.

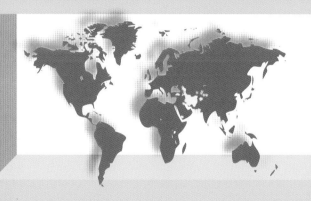

▲ Représentant environ 9 % des musulmans, les chiites sont bien implantés en Iran, en Irak, en Azerbaïdjan, à Bahreïn et au Yémen. Ils comptent également des communautés en Turquie, en Syrie, en Afghanistan, au Pakistan ou en Inde.

Majoritaires, les **duodécimains** sont notamment installés en Iran et en Irak. Ils croient en douze (d'où leur nom) imams infaillibles et au mahdi, le dernier imam qui a mystérieusement disparu mais qui réapparaîtra à la fin des temps. En attendant, chaque pays le remplace par un clergé hiérarchisé, dirigé par un ayatollah et composé de mollah. Ceux qui descendent du Prophète portent un turban noir, les autres un blanc.

▲ Ali et ses fil, Hassan et Hussein.

Dans le **sunnisme,** les fidèles célèbrent aussi achoura. Mais au Maghreb c'est une fête joyeuse durant laquelle

Les ismaéliens sont parfois appelés septimains car ils vénèrent sept imams infaillibles. Ils croient aussi au mahdi, l' « imam occulté ». De nos jours, la plupart reconnaissent l'autorité religieuse de l'Aga Khan.

Les chiites sont les **« partisans d'Ali »**, de l'arabe *chi'at Ali*. Ils soutiennent qu'Ali, cousin et gendre du Prophète, est l'unique calife légitime de l'islam car seul un membre de la famille du Prophète peut prétendre à sa succession. Ils rejettent donc l'institution du califat.

◀ Cette miniature perse du XVe siècle représente le Prophète, Ali et ses fils, et huit imams.

Contre le califat, les chiites prônent l'***imamat***. Selon eux, les héritiers de Muhammad sont les imams, non pas de simples guides de la prière (selon la signification sunnite) mais de puissants chefs religieux capables de comprendre le sens caché du Coran. Ali est le premier, suivi de ses fils Hassan et Hussein, puis de leurs descendants. Mais les chiites ne sont pas tous d'accord sur la liste des imams, ce qui explique la formation de nombreux groupes. Les deux principaux sont les duodécimains et les ismaéliens.

59

LA VILLE TROIS FOIS SAINTE

Tous les enfants d'Abraham, qu'ils soient juifs, chrétiens ou musulmans, voient en Jérusalem un lieu saint, riche en monuments et en symboles.

Jérusalem devient le centre du judaïsme vers le Xe siècle av. J.-C. sous l'impulsion du roi David. C'est là, vers l'an 30, que meurt Jésus de Nazareth, le Messie des chrétiens. Dès lors, Jérusalem est également un haut lieu du christianisme. Puis, au VIIe siècle, les armées arabes conquièrent la région et élèvent Jérusalem au rang de troisième ville de l'islam, après La Mecque et Médine. Depuis, juifs, chrétiens et musulmans souhaitent tous y exercer leur suprématie, ce qui provoque des tensions, voire des guerres.

Vénéré par les chrétiens, **Le Saint-Sépulcre ❼** est une vaste église dédiée au Christ. Il englobe le rocher du Golgotha, site de la Crucifixion, et le tombeau de Jésus, lieu de sa Résurrection. Il est gardé par trois Églises principales : l'Église orthodoxe grecque, l'Église apostolique arménienne et l'Église catholique romaine.

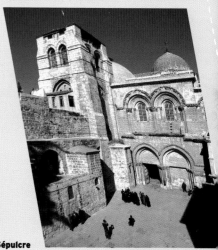

❼ le Saint-Sépulcre

Selon les textes bibliques, le fils de David, Salomon, construisit le Temple pour abriter l'Arche d'Alliance qui contenait les Tables de la Loi. Mais les Babyloniens détruisirent ce Temple et l'Arche d'Alliance disparut. Quelques années plus tard, le roi perse Cyrus autorisa les juifs à bâtir leur **Second Temple**. Celui-ci fut considérablement agrandi et embelli par Hérode, sous l'Empire romain.

La mosquée **al-Aqsa ❺** (« la Lointaine » en arabe) fait partie des trois plus prestigieuses mosquées du monde, après celles de La Mecque et Médine.

La **via dolorosa ❻** retrace le parcours effectué par Jésus juste avant sa Crucifixion. Traditionnellement, elle commence au couvent de la Flagellation où Jésus a reçu sa croix et finit au Saint-Sépulcre.

La vieille ville est entourée de **remparts ❽** construits par Soliman le Magnifique au XVIe siècle. Elle est divisée en quatre quartiers : juif, chrétien, musulman et arménien.

Situé en dehors des remparts, le **mont des Oliviers ❾** est le plus cimetière juif du monde. C'est égal une colline chère aux chrétiens qui y placent l'arrestation de Jésu et l'Ascension.

Le **mont du Temple ❶** (« Noble Sanctuaire » en arabe) est une des collines naturelles de Jérusalem. La tradition biblique y voit le lieu de l'épreuve d'Abraha les juifs y situent le Temple, les musulmans y placent l'Ascensi de Muhammad. De nos jours, le mont du Temple accueille l'Esplanade des mosquée

Le **mur des lamentations ❸** ou Kotel, est le seul vestige du Second Temple, détruit par les Romains en 70. Là, les juifs prient et, parfois, glissent entre les pierres des petits papiers sur lesquels ils inscrivent des vœux.

Selon certains savants musulmans, l'épreuve d'Abraham n'aurait pas eu lieu à Jérusalem mais à **La Mecque**.

Le Dôme du Rocher ❹
protège le rocher sacré
d'al-Mi'raj, l'ascension
du Prophète.
Une nuit, celui-ci aurait
voyagé de La Mecque
à Jérusalem, chevauchant
la jument volante al-Bouraq.
Puis, s'appuyant sur le rocher,
il serait monté au ciel
jusqu'à Dieu.

❹ Le Dôme du Rocher

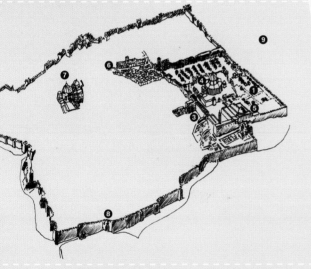

des lamentations

60

FACE À LA MORT

Lorsque la mort survient, juifs, chrétiens et musulmans suivent
plus ou moins les mêmes rites. Ils croient tous en une vie
après la mort et partagent une vision similaire de l'au-delà.

Juifs, chrétiens et musulmans
ne voient pas la mort
comme une fin ultime.
Ils croient que tout être
humain est composé
d'un corps mortel
et d'une **âme** (principe
spirituel) immortelle.
Les juifs allument souvent
une bougie à la tête du défunt
pour symboliser l'immortalité
de son âme.

La famille et les amis
accompagnent le mort
de leurs **prières**.
Les juifs et les musulmans
procèdent à des funérailles
rapides, le jour du décès
lorsque cela est possible.
Les chrétiens veillent le mort
souvent plusieurs jours
et organisent une cérémonie
à l'église ou au temple.

Le corps du défunt est lavé
et préparé. Les juifs et les musulmans
attachent une grande importance
à cette toilette rituelle de purification.
Puis, les juifs habillent le défunt
d'un vêtement blanc, les chrétiens
lui mettent de beaux habits
et les musulmans le déposent
nu dans un linceul.

« Tu es glaise et tu retourneras
à la glaise » dit la Genèse.
Aussi les juifs, les chrétiens
et les musulmans enterrent-ils
leurs morts, généralement
dans un cimetière. Les musulmans
tournent le visage du défunt
en direction de La Mecque.

La **Genèse** est le premier livre de la Torah et de la Bible.

Les trois grandes religions monothéistes
n'imaginent pas forcément **le paradis
et l'enfer** de la même manière mais elles
s'accordent à penser que les croyants justes
et méritants rejoindront le royaume merveilleux
de Dieu, tandis que les autres iront en enfer,
un lieu ou un état de néant, voire de tourment.

Juifs, chrétiens et musulmans affirment
qu'à la fin des temps, Dieu établira
son royaume et ressuscitera les morts.
Ils partagent donc le même espoir : revivre
et accéder à la félicité éternelle.

LES GRANDES FÊTES DU JUDAÏSME

ROSH HA-SHANA

Date : septembre-octobre
Ce que c'est : Commémoration de la naissance du monde. C'est aussi la fête du nouvel an juif.
Déroulement : Les fidèles en profitent pour faire le bilan de leurs bonnes et mauvaises actions.

YOM KIPPOUR, LE GRAND PARDON

Date : 10 jours après Rosh ha-Shana (septembre-octobre)
Ce que c'est : Cette fête trouve son origine dans l'épisode du Veau d'or (l'Exode) car Dieu l'aurait concédée aux Hébreux pour qu'ils puissent se repentir.
Déroulement : Les fidèles qui ont réfléchi à leurs fautes demandent sincèrement pardon à Dieu.

SOUKKOT, LA « FÊTE DES CABANES »

Date : septembre-octobre
Ce que c'est : Évocation de la sortie d'Égypte et des cabanes construites par les Hébreux dans le désert.
Déroulement : Les fidèles fabriquent des cabanes où ils prennent leurs repas, et parfois dorment, pendant sept jours. Chaque matin, à la synagogue, ils louent Dieu et demandent sa protection en secouant le « loulav », une sorte de bouquet composé de quatre espèces de plantes (dattier, myrte, saule et cédrat). Chaque plante représente un type d'individu ; ensemble, elles symbolisent la cohésion de la communauté.

HANOUKKAH

Date : novembre-décembre
Ce que c'est : Célèbration de la reconquête du Temple de Jérusalem, bafoué par l'occupant séleucide au IIe siècle av. J.C. Rallumé lors de l'inauguration, le chandelier du Temple a miraculeusement gardé sa flamme pendant huit jours alors qu'il n'avait qu'une journée de réserve d'huile !
Déroulement : Les fidèles allument les huit bougies d'un chandelier.

POURIM

Date : février-mars
Ce que c'est : Cette fête rappelle comment Esther sauva les juifs de Perse condamnés par le ministre Aman au Ve siècle av. J.-C.
Déroulement : Les fidèles lisent la *meguila*, ou « livre d'Esther », et font le plus de bruit possible à chaque fois que le nom d'Aman est prononcé.

PESSAH, LA PÂQUE JUIVE

Date : mars-avril
Ce que c'est : Commémoration de la sortie d'Égypte des Hébreux
Déroulement : Les fidèles lisent la *aggada*, un texte qui raconte cet événement, et partagent le *seder*, un repas composé d'aliments symboliques.

CHAVOUOT

Date : mai-juin
Ce que c'est : Célèbration du don des Tables de la Loi à Moïse, c'est-à-dire de la révélation de la Torah.
Déroulement : Les fidèles lisent la Torah, se réjouissent et décorent leurs maisons.

LES GRANDES FÊTES DE L'ISLAM (DATES MOBILES)

LE 1ER MUHARRAM

Ce que c'est : Commémoration premier jour de l'Hégire. Cette date marque le début de l'année musulmane.
Déroulement : Aucune cérémon particulière

ACHOURA

Ce que c'est : Cette fête tire son origine de la fête juive de Yom Kippour et commémore la victoire de Moïse sur le phara et l'Exode.
Déroulement : Les fidèles célèbrent Achoura en jeûnant. Dans le sunnisme, cette fête s'accompagne de manifestations joyeuses. Dans le chiisme, à l'inverse, c'est un jour de deuil car les fidèles commémorent en même temps le martyr d'Husse fils d'Ali et petit-fils du Prophète Ils se lamentent en se frappant la poitrine ou en se flagellant.

MAWLID AL-NABI, OU AÏD AL-MOULOUD

Ce que c'est : Célèbration de la naissance de Muhammad.
Déroulement : Les fidèles méditent sur la vie du Prophète et participent parfois à des rassemblements festifs.

9 AV OU TICHEA BEAV

Date : juillet-août
Ce que c'est : Commémoration dans la tristesse de la destructi du Temple de Jérusalem.
Déroulement : En ce jour de de les fidèles jeûnent et prient.

LES GRANDES FÊTES DU CHRISTIANISME

ÉPIPHANIE - THÉOPHANIE
Date : 6 janvier
Ce que c'est : Catholiques et protestants fêtent la présentation de l'Enfant Jésus aux rois mages. Les orthodoxes commémorent le baptême de Jésus et nomment l'événement Théophanie.
Déroulement : En France, la coutume veut que les fidèles partagent une galette (ou un gâteau) dans laquelle est cachée une fève et « tirent les rois ».

PÂQUES
Date : mars-avril
Ce que c'est : Fête de la résurrection du Christ.
Déroulement : Le dimanche de Pâques, les fidèles assistent à un grand office, puis se retrouvent en famille autour d'un repas et s'offrent des œufs en chocolat. La date de Pâques ne tombe pas le même jour pour les orthodoxes, qui suivent le calendrier julien, et pour les catholiques et les protestants, qui suivent le calendrier grégorien.

ASCENSION
Date : mai
Ce que c'est : Rappel de la montée au ciel de Jésus et de son entrée dans le royaume de Dieu.
Déroulement : Les fidèles vont à l'église ou au temple pour un office spécifique.

PENTECÔTE
Date : mai-juin
Ce que c'est : Glorification de la descente du Saint-Esprit sur les apôtres.
Déroulement : Les fidèles assistent à un office mettant en avant la diversité des peuples, langues et cultures.

LA SAINT-JEAN-BAPTISTE
Date : 24 juin
Ce que c'est : date anniversaire de la naissance de Jean qui a baptisé Jésus dans le Jourdain.
Déroulement : C'est une fête catholique très populaire pendant laquelle les fidèles allument de grands feux.

ASSOMPTION (CATHOLIQUE) DORMITION (ORTHODOXE)
Date : 15 août
Ce que c'est : Commémoration de la mort de la Vierge Marie et de son élévation au ciel.
Déroulement : Ce jour-là, les fidèles participent souvent à des processions ou à des pèlerinages.

DIMANCHE DE LA RÉFORMATION (PROTESTANT)
Date : octobre-novembre
Ce que c'est : Rappel de l'affichage des 95 thèses de Luther, c'est-à-dire du début de la Réforme.
Déroulement : Les fidèles se rassemblent pour le culte et participent à diverses réjouissances.

TOUSSAINT
Date : 1er novembre
Ce que c'est : Célébration catholique en l'honneur de tous les saints.
Déroulement : Les fidèles assimilent souvent cette fête à celle des morts. Ils prient pour leurs défunts et se rendent au cimetière.

NOËL
Date : 25 décembre
Ce que c'est : Fête de la naissance de Jésus.
Déroulement : Les fidèles se rendent à l'église ou au temple pour célébrer l'événement dans la joie.

AYLAT AL-MI'RAJ
e que c'est : Cette fête rappelle voyage nocturne du Prophète, La Mecque à Jérusalem, et son évation jusqu'au trône de Dieu.
éroulement : Les fidèles réunissent et prient.

AMADAN
que c'est : Le mois de ramadan respond au mois durant lequel hammad a reçu la première te de l'ange Jibril.
roulement : Les fidèles prient, ent et essaient de faire le bien our d'eux. Ils célèbrent Laylat adr, la nuit de la révélation Coran.

D AL-FITR
que c'est : Ce jour fête la fin ramadan.
roulement : Les fidèles mmencent par une grande re matinale, puis ils se donnent leurs erreurs et se gratulent en disant : « Aïd barak », bonne fête. Ils se dent visite, organisent des eptions joyeuses et dégustent tes sortes de pâtisseries et iseries traditionnelles.

EL-KÉBIR OU AÏD AL-ADHA
que c'est : Commémoration de reuve d'Abraham.
oulement : Les fidèles prient, sacrifient un animal, souvent nouton. Ils partagent ce jour ête avec leurs proches : nts, amis et voisins.

LES INSTITUTS RELIGIEUX

LA RÈGLE DE SAINT BASILE

Saint Basile, ou Basile le Grand, naît à Césarée de Cappadoce (Turquie) au IVe siècle. Il fonde une communauté et met au point la première règle monastique. Celle-ci prône la prière, la lecture de la Bible, la confession des péchés, la communion fréquente, le travail manuel et le dévouement (hospitalité, enseignement, soins aux malades...). Elle est, encore aujourd'hui, la seule règle suivie par les moines et moniales orthodoxes.

LA RÈGLE DE SAINT AUGUSTIN

Né au IVe siècle, à Tagaste (Algérie), saint Augustin est un des principaux « Pères de l'Église », théologien brillant et écrivain particulièrement prolifique. Sa règle est un ensemble de préceptes centrés sur la charité : vie en communauté, renoncement à la propriété, fraternité, obéissance au Supérieur, prière.

• **Les Dominicains**, ou Frères prêcheurs, appartiennent à l'ordre fondé par saint Dominique au XIIIe siècle. Ils s'inspirent de la règle de saint Augustin et cherchent à imiter les Apôtres : ils se mêlent aux laïcs pour prêcher l'Évangile. L'un de leurs plus grands penseurs est saint Thomas d'Aquin.

LA RÈGLE DE SAINT BENOÎT

Né au VIe siècle, saint Benoît est originaire de Nursie (Italie). S'inspirant des principes de saint Basile, il écrit sa propre règle en 73 chapitres : place centrale de la prière, travail intellectuel et méditation des textes religieux, organisation du monastère autour d'un abbé (du syriaque *abba*, père), etc. Sa règle exerce une influence majeure sur la vie monastique occidentale et les ordres religieux catholiques.

• **Les Bénédictins** suivent la règle de saint Benoît. Ils vivent cloîtrés dans un monastère et font vœux d'obéissance et de silence. Ils partagent leur temps entre la prière, le travail manuel et l'étude, ce qui fait d'eux des moines particulièrement savants. Au Moyen Âge, l'abbaye bénédictine de Cluny (Bourgogne) connaît un rayonnement exceptionnel : elle regroupe environ 10 000 moines répartis sur plusieurs site à travers l'Europe, elle détient de vastes terres et accumule les richesses, elle possède une bibliothèque exceptionnelle et exerce une grande influence religieuse, culturelle et politique. L'abbaye bénédictine de Solesmes (Sarthe) est également célèbre, car elle est à l'origine de la restauration du chant grégorien, un chant sacré interprété généralement par un chœur, sans accompagnement instrumental.

• **Les Cisterciens** se réclament également de saint Benoît. Leur ordre naît avec l'abbaye de Cîteaux (Bourgogne) et connaît un grand développement sous l'impulsion de leur maître spirituel Bernard de Clairvaux. Il préconise la simplicité, le dépouillement, l'isolement et le travail, des valeurs qui s'expriment notamment dans l'architecture rigoureuse et austère de ses monastères. Certains moines cisterciens, issus de l'abbaye de la Trappe (Normandie), sont appelés trappistes.

LA RÈGLE DE SAINT FRANÇOIS

Né au XIIe siècle, saint François est originaire d'Assise (Italie). Rompant avec l'existence privilégiée de sa jeunesse, il choisit de se consacrer à la prédication et de vivre pauvrement, gagnant sa pitance par le travail manuel et l'aumône. Privilégiant l'action sur la réflexion, il rédige une règle qui exige pauvreté, travail manuel et prêche.

• **Les Franciscains**, ou Frères mineurs, suivent la règle de saint François d'Assise. Ils vivent parmi les laïcs et s'adressent à tout le monde : riches ou pauvres, citadins ou paysans, etc. Hommes d'action, ils se font volontiers missionnaires, bien au-delà de l'Europe.

Dans le christianisme, les religieux et les religieuses appartiennent à des instituts, parfois appelés ordres, c'est-à-dire des communautés soumises à une règle. Celle-ci détermine la fonction de l'institut et son mode de vie : cloîtré ou itinérant, contemplatif (voué à la prière et à la méditation) ou actif et apostolique, etc.

• **Les Clarisses,** ou Pauvres Dames, appartiennent à un ordre fondé par sainte Claire, disciple de saint François d'Assise. Elles renoncent au monde, vivent cloîtrées et se consacrent à la méditation.

• **Les Capucins** doivent leur nom au capuchon long et pointu qui caractérise leur habit traditionnel. Ils appartiennent à la famille franciscaine et sont issus d'un mouvement de réforme mené par Matthieu de Basci. Pauvres parmi les pauvres, ils accordent une grande importance à la fraternité et à l'entraide, n'hésitant pas à partager le sort et les luttes des plus démunis.

LES CHARTREUX

Au XIe siècle, saint Bruno se retire dans le massif de la Chartreuse, près de Grenoble, et fonde un monastère. Appelés Chartreux, les moines qui y vivent respectent une règle austère : prière commune trois fois par jour, silence, travail solitaire et isolement. Au fil du temps, plusieurs autres « chartreuses » voient le jour à travers le monde, toutes sur le même modèle : de petites maisons individuelles, ou cellules, disposées autour d'un cloître.

LE CARMEL

Au XIIe siècle, des ermites choisissent de vivre leur foi en Terre sainte, dans les grottes du mont Carmel où aurait vécu le prophète Élie. Ils adoptent une règle fondée sur la prière, la méditation, le silence, le dépouillement et la vie communautaire. Mais, au XIIIe siècle, la conquête de la Terre sainte par les musulmans les pousse à fuir en Europe où ils fondent de petites communautés d'hommes appelés Carmes. Leur mode de vie attire également des femmes qui créent leurs propres monastères de Carmélites. Plusieurs personnalités marquent fortement le Carmel : les Espagnols Thérèse d'Avila et Jean de la Croix, particulièrement connus pour leurs écrits, leurs visions mystiques et leurs grandes réformes ; la Française Thérèse de Lisieux, proclamée comme eux docteur de l'Église.

LES JÉSUITES

Au XVIe siècle, Ignace de Loyola fonde la Compagnie de Jésus qui se fixe pour principaux buts le développement des missions étrangères, l'éducation et l'enseignement. Ses membres sont appelés Jésuites (équivalent de « faux Jésus ») d'abord par malveillance, puis par habitude, sans intention de nuire particulière. Ils accordent une grande importance à l'instruction et suivent de longues études, vivent parmi les laïcs, refusent toute dignité ecclésiastique et affirment leur fidélité inconditionnelle au pape.

L'ORDRE DE MALTE

Au XIe siècle se développe en Terre sainte un ordre religieux, hospitalier et militaire dont les membres se nomment communément chevaliers de saint Jean de Jérusalem ou Hospitaliers. Mais la défaite des croisés contraint l'ordre à fuir vers Chypre, Rhodes puis Malte où il est rebaptisé ordre de Malte. Installé à Rome depuis 1834, il est aujourd'hui laïc et civil. Il mène des actions humanitaires.

LES TEMPLIERS

L'ordre du Temple, religieux et militaire, naît au XIIe siècle. Au temps des croisades, il a pour mission d'accompagner et de protéger les pèlerins qui se rendent en Terre sainte. Soutenu par la noblesse, il reçoit des dons, s'enrichit et se constitue à travers l'Europe un vaste réseau de monastères appelés commanderies. Mais, son influence toujours croissante finit par inquiéter bon nombre de puissants qui orchestrent sa dissolution définitive au XIVe siècle.

LES PRINCIPALES
ÉGLISES PROTESTANTES

Église et créateur	Description
LES LUTHÉRIENS Martin Luther (Allemagne) au XVIe siècle	Leur texte fondateur est la « Confession d'Augsbourg » : retour au christianisme des origines ; affirmation de la Bible comme autorité suprême ; acceptation du sacerdoce universel des croyants (tous les baptisés sont prêtres) et refus des intermédiaires, c'est-à-dire du clergé ; reconnaissance de deux sacrements seulement : le baptême et la Cène ; affirmation du « salut par la grâce seule » (Dieu est amour et sauve gratuitement ceux qui ont foi en lui). Héritière de la tradition catholique, l'Église luthérienne conserve un culte relativement riche et accorde une place importante à la musique, notamment aux œuvres de Jean-Sébastien Bach.
LES RÉFORMÉS/ PRESBYTÉRIENS Jean Calvin (France), Ulrich Zwingli (Suisse) au XVIe siècle	Ces Églises s'inspirent des principes de Martin Luther, auxquels elles ajoutent les idées d'autres grands réformateurs comme Ulrich Zwingli et Jean Calvin. Ce dernier a laissé beaucoup d'écrits dont une grande synthèse de la foi : *L'Institution de la religion chrétienne*. Les Églises Réformées suivent un culte plutôt sobre dans des temples relativement dépouillés. Elles proscrivent notamment toutes les images pieuses et les statues de saints. Au début de la Réforme, les protestants français sont appelés huguenots. Leur signe de reconnaissance est la croix huguenote, une croix à huit pointes, maintenant une colombe.
LES ÉVANGÉLIQUES Issu du protestantisme radical du XVIe siècle, le mouvement évangélique se développe au cours des siècles suivants.	Ils se caractérisent par l'importance qu'ils donnent à la conversion personnelle, volontaire et consciente, à la lecture de la Bible et à l'engagement militant. Extrêmement pieux, les évangéliques s'appuient sur une lecture stricte de la Bible et considèrent que leur foi doit guider tous les actes de leur vie. Le mouvement évangélique a engendré plusieurs Églises de sensibilités différentes.
LES MENNONITES Menno Simons (Pays-Bas) au XVIe siècle	Ils affirment que seul un adulte consentant peut recevoir le baptême et ils n'hésitent pas à rebaptiser les fidèles qui ont reçu le sacrement dans leur enfance. Strictement non-violents, les mennonites refusent l'usage de la force et se tiennent à l'écart des actions politiques. Ils préfèrent vivre dans de petites communautés rurales et se consacrer à l'agriculture. Certains, comme les amish, évitent tout contact avec l'extérieur et rejettent la vie moderne : ils n'utilisent pas l'électricité, se déplacent à cheval, portent des vêtements traditionnels ancestraux...
LES BAPTISTES John Smyth (Angleterre) rompt avec l'Église anglicane au XVIIe siècle 	Selon eux, le baptême est un acte de foi volontaire vécu par une personne pleinement consciente de son acte. Il ne peut donc pas être administré à un petit enfant. Rapidement des Églises baptistes se développent à travers le monde et s'implantent solidement aux États-Unis. C'est là que s'illustre le plus célèbre des pasteurs baptistes : Martin Luther King, militant non violent contre la ségrégation raciale et prix Nobel de la Paix en 1964. Les baptistes pratiquent le baptême par immersion après déclaration de foi et apprécient un culte simple, spontané et fraternel, axé sur la parole sous toutes ses formes : lectures, prières, prédications, témoignages de vie, chants « gospel », etc.

Église et créateur	Description
LES MÉTHODISTES John Wesley (Angleterre) au XVIIIe siècle 	John Wesley conçoit la pratique religieuse avec une régularité, une discipline et une méthode qui lui valent l'appellation de méthodiste. Entouré de quelques compagnons, il prie, fait des exercices spirituels et surtout prêche. Infatigable, il parcourt la Grande-Bretagne et les États-Unis. Il s'adresse à tous, visite les malades et les pauvres, escalade les terrils pour parler aux mineurs, organise de vastes rassemblements en plein air. Son mouvement rencontre un grand succès dans plusieurs pays, notamment aux États-Unis. Il développe ses propres œuvres sociales qui inspireront l'Armée du Salut, chargée d'annoncer l'Évangile tout en aidant les plus démunis. Attachés à la dimension émotionnelle de la foi, les méthodistes se réunissent dans une ambiance chaleureuse, manifestent leur joie et chantent avec enthousiasme. Ils apprécient particulièrement le gospel (de l'anglais « god spell », parole de Dieu), issu des « negro spirituals », les chants religieux des premiers afro-américains.
LES PENTECÔTISTES Ce mouvement naît aux États-Unis au début du XXe siècle.	Le Pentecôtisme fait l'expérience de la descente du Saint Esprit sur les fidèles comme au jour de la Pentecôte : après le baptême volontaire dans l'eau survient un « baptême dans l'Esprit », accompagné de la capacité de « parler en langues » (glossolalie) c'est-à-dire la faculté de parler une langue inconnue. Les Pentecôtistes pensent également que le Saint Esprit peut leur permettre d'accomplir des miracles, notamment des guérisons spontanées par simple imposition des mains. Ils accompagnent leur culte de danses, de chants et, dans certains groupes, d'extases, de transes et de phénomènes qu'ils jugent miraculeux.
LES QUAKERS George Fox (Angleterre) XVIIe siècle 	George Fox fonde, en 1652, la Société des Amis dont les membres sont communément appelés Quakers. Ces derniers croient que chaque homme possède en lui une « lumière divine » qu'il doit atteindre par ses propres moyens, notamment par la méditation silencieuse. Mystiques, individualistes, épris de liberté, ils rejettent les structures ecclésiastiques, les rites, les dogmes et même les sacrements. Profondément idéalistes, ils défendent des valeurs d'amour, de paix, de solidarité, de justice, de respect de la vie et de la nature. Leur plus célèbre membre est William Penn qui fonda en 1681 la Pennsylvanie, futur État américain.
LES ADVENTISTES William Miller (États-Unis) début du XIXe siècle	William Miller s'appuie sur la Bible pour annoncer la fin du monde et le retour de Jésus-Christ. Il fixe l'échéance en 1844, mais rien ne se produit : c'est « la grande déception ». Toutefois, beaucoup de ses disciples restent persuadés de la venue prochaine du Messie. Certains fondent les adventistes du Septième Jour, le terme « adventisme » venant du latin adventus, « arrivée ». Ils pratiquent le baptême volontaire, célèbrent leur culte le samedi (jour de shabbat) au lieu du dimanche, croient aux prophéties d'Ellen White, prennent soin de leur hygiène de vie (prohibition de l'alcool et du tabac), paient la dîme (taxe religieuse s'élevant à 10 % des revenus)...

✝ LES SAINTS

La Sainte Vierge ou Vierge Marie est la mère de Jésus-Christ et, dans la tradition orthodoxe, la « Théotokos », la Mère de Dieu. Selon les Évangiles, elle a porté le fils de Dieu tout en restant vierge. Les fidèles lui vouent une grande dévotion (hyperdulie) et lui réservent la première place parmi les saints. De nombreuses églises appelées « Notre Dame » lui sont consacrées, ainsi que de très importants pèlerinages, notamment à Lourdes (France) et à Fatima (Portugal) où elle serait miraculeusement apparue.

Sainte Blandine est une jeune esclave martyrisée à Lyon par les Romains, au IIe siècle. Refusant de renier sa foi, elle est livrée aux lions qui l'épargnent miraculeusement, puis attachée à un gril brûlant, jetée à un taureau furieux et finalement égorgée. Elle est la patronne de la ville de Lyon.

Sainte Catherine d'Alexandrie est décrite par la tradition comme une jeune vierge particulièrement savante qui aurait refusé d'épouser l'empereur de Rome pour consacrer sa vie au Christ. Furieux, celui-ci l'aurait condamnée au supplice de la roue puis à la décapitation. Elle est la protectrice des jeunes filles qui, au Moyen Âge, avaient le privilège de coiffer sa statue d'une couronne de fleurs. De nos jours, les « catherinettes » (des jeunes femmes toujours célibataires à 25 ans) poursuivent la tradition en portant un chapeau vert et jaune le jour de la Sainte-Catherine.

Le christianisme reconnaît un grand nombre de saints : des hommes et des femmes distingués pour leur foi et leur conduite exemplaires. Certains sont des martyrs, d'autres des théologiens d'exception, de grands évangélisateurs ou des modèles de vertu. Les orthodoxes et les catholiques leur rendent un culte particulier et s'adressent à eux pour se rapprocher de Dieu. Les protestants leur accordent moins d'importance et refusent toute dévotion.

Saint Antoine de Padoue est l'un des plus grands prédicateurs de l'Église chrétienne, attirant au XIIIe siècle des foules considérables et, selon la légende, prêchant même aux poissons. Proche des humbles et des oppressés, il devient le saint de prédilection du peuple qui lui demande d'exaucer n'importe quel vœu et surtout de retrouver les objets perdus.

Saint Christophe est le légendaire géant qui aurait porté le Christ enfant sur ses épaules pour l'aider à traverser un torrent furieux. Il est le patron des voyageurs et beaucoup d'automobilistes placent sa médaille dans leur véhicule pour se protéger des accidents.

Saints Cyrille et Méthode, des grecs de Salonique, sont frères et missionnaires. Au IXe siècle, ils évangélisent les pays slaves et traduisent la Bible en slavon, une langue slave méridionale. Pour transcrire cet idiome, ils inventent l'alphabet glagolitique, souvent considéré comme l'ancêtre de l'alphabet cyrillique.

Saint Denis jouit du statut de premier évêque de Paris. Selon la tradition, il aurait été martyrisé et décapité. Mais il se serait relevé, aurait pris sa tête coupée dans ses mains et aurait marché jusqu'à sa sépulture. Les rois de France l'ont choisi comme protecteur et se sont fait enterrer au plus près de ses reliques, dans la cathédrale de Saint-Denis.

Saint Étienne est appelé le « protomartyr », c'est-à-dire le premier martyr de la communauté chrétienne. Selon les Actes des Apôtres il meurt lapidé par la foule, à Jérusalem. Un homme assiste au lynchage et l'approuve. Il s'agit de Saul, le futur Saint Paul !

Saint Georges, originaire de Cappadoce, aurait vécu au IVe siècle. La tradition raconte qu'avec l'aide du Christ, il a triomphé d'un terrible dragon qui, chaque jour, réclamait aux villageois deux jeunes gens à dévorer. Il symbolise la victoire de la Foi sur le Mal. Il est le patron des chevaliers.

Saint Louis est le roi de France Louis IX. De son vivant, il jouit d'un immense prestige et passe pour être le meilleur des monarques : puissant, juste, sage et bon. Il est également réputé pour sa ferveur religieuse qui le pousse à conduire la septième et la huitième croisade. Autant d'éléments qui incitent le pape à proclamer sa sainteté vingt-sept ans après sa mort seulement.

Saint Jacques le Majeur est un des apôtres du Christ, comme son frère Jean. Sa vie est mal connue mais la tradition en fait l'évangélisateur de l'Espagne et situe sa tombe en Galice, à Saint-Jacques-de-Compostelle. Dès le Moyen Âge, l'endroit devient un haut lieu de vénération. Les pèlerins suivent les « chemins de Compostelle », se recueillent sur les reliques du saint et rapportent comme témoignage de leur voyage une coquille Saint-Jacques.

Sainte Thérèse de Lisieux, ou Thérèse de l'Enfant Jésus de la Sainte Face, est « la plus grande sainte des temps modernes » selon le pape Pie XI. Touchée par la grâce à 14 ans, elle entre au Carmel de Lisieux à 15 ans. Elle réfléchit sur elle-même, cherche une nouvelle voie spirituelle et écrit sur son expérience de la foi. Elle meurt en 1897, à 24 ans. Sa tombe devient alors un haut lieu de pèlerinage.

Saint Paul est l'une des figures principales du christianisme. Né vers l'an 10, à Tarse, il est juif et citoyen romain. Dans un premier temps, il condamne le christianisme naissant et persécute les premiers disciples du Christ. Mais, un jour, sur le chemin de Damas, sa vie est bouleversée : il dit avoir rencontré le Christ ressuscité. Aussitôt, il demande le baptême et devient l'un des plus fervents défenseurs et propagateurs de la nouvelle religion. Voyageur infatigable, missionnaire zélé, il s'adresse à tous et convertit nombre de Gentils (non-juifs). Pour cette raison, il est considéré comme le fondateur de l'Église universelle.

Saint Nicolas a sans doute vécu au IVe siècle. Très populaire, il est le héros de nombreuses légendes, dont celle des trois enfants perdus qui se réfugient chez un boucher. Mais celui-ci les tue, les découpe en morceaux et les jettent au saloir dans l'attente de les servir à ses clients. Entre alors en scène saint Nicolas qui rassemble les morceaux et ressuscite les enfants. Ce miracle lui vaut d'être le saint protecteur des enfants à qui il distribue des friandises le jour de sa fête, le 6 décembre.

Saint Thomas est un des apôtres du Christ. Il est appelé « l'incrédule » car, selon les Évangiles, il a douté de la Résurrection du Christ jusqu'à ce qu'il examine lui-même les marques de la Crucifixion. Son incrédulité a donné naissance à la célèbre formule : « Je suis comme Saint-Thomas, je ne crois que ce que je vois. »

Saint Pierre est un des plus proches disciples du Christ et, selon la tradition, le premier évêque d'Antioche, puis de Rome. Pour les catholiques, il est aussi le gardien des portes du Paradis car le Christ a dit : « Je te donnerai les clefs du Royaume des Cieux… » (Évangile selon Saint Matthieu). Aussi est-il souvent représenté des clés à la main.

Saint Valentin n'est pas un seul personnage. En effet, au moins trois individus se partagent le même prénom : Valentin de Rome, Valentin de Terni et Valentin de Rhétie. Ils sont fêtés le 14 février et patronnent les amoureux car, dit-on, ce jour-là les oiseaux commencent à s'accoupler.

PRIÈRES

AL FATIHA

Au nom de Dieu le Très Miséricordieux, le Tout Miséricordieux.
Louange à Dieu, Seigneur des mondes, le Très Miséricordieux,
le Tout Miséricordieux,
Maître du jour de la Rétribution.
C'est Toi que nous adorons, et c'est Toi dont nous implorons secours.
Guide-nous dans le chemin droit, le chemin de ceux que Tu as
comblés de bienfaits,
Non pas de ceux qui ont encouru Ta colère, ni de ceux qui s'égarent.

ISLAM
(Coran, sourate 1, « L'ouvrante »)

CHEMA ISRAËL

Écoute, Israël : l'Éternel notre Dieu,
l'Éternel est Un !
(À voix basse : Béni soit-il !
la gloire de Son Règne est éternelle !)

Tu aimeras l'Éternel ton Dieu de tout ton cœur,
de toute ton âme et de tout ton pouvoir.
Que les paroles que je te prescris aujourd'hui
soient gravées dans ton cœur.
Tu les inculqueras à tes enfants, tu en parleras
en demeurant dans ta maison, en allant en
chemin, en te couchant et en te levant.
Imprime-les sur ton bras, grave-les entre tes
yeux, inscris-les sur les poteaux de ta maison
et sur tes portes.

JUDAÏSME
(Deutéronome, VI, 4, 9)

NOTRE PÈRE

Notre Père qui es aux cieux,
que ton nom soit sanctifié,
que ton règne vienne,
que ta volonté soit faite sur
la terre comme au ciel.
Donne-nous aujourd'hui notre
pain de ce jour.
Pardonne-nous nos offenses,
comme nous pardonnons aussi
à ceux qui nous ont offensés.
Et ne nous soumets pas à la
tentation, mais délivre-nous du
Mal.
Car c'est à toi qu'appartiennent le
règne, la puissance et la gloire,
Pour les siècles des siècles.
Amen

CHRISTIANISME

 SITES WEB

www.mosquee-de-paris.org
Grande Mosquée de Paris
2bis, place du Puits de l'Ermite,
75005 Paris.

www.imarabe.org
Institut du Monde Arabe
1, rue des Fossés Saint-Bernard,
Place Mohammed V, 75005 Paris

www.lavictoire.org
Grande Synagogue de Paris
44, rue de la Victoire - 75009 Paris

www.mahj.org/fr
Musée d'art et d'histoire du judaïsme
Hôtel de Saint-Aignan, 71 rue du Temple,
75003 Paris

www.eglise.catholique.fr/accueil.html
Conférence des évêques de France
58 avenue de Breteuil, 75007 Paris

www.vatican.va/phome_fr.htm
Vatican. Rome, Italie

www.protestants.org
Fédération protestante de France
47 rue de Clichy, 75009 Paris

www.egliseorthodoxe.net
Assemblée des Evêques orthodoxes
de France.
7 rue Georges Bizet, 75016 Paris

LIVRES

L'Encyclopédie
Gallimard jeunesse des Religions
Philip Wilkinson et Douglas Charing,
Gallimard Jeunesse, 2004

Les Religions
de la préhistoire à nos jours
Sandrine Mirza et Marianne Boilève,
Milan jeunesse, 2008

Sur les traces de Moïse
Pierre Chavot, Gallimard Jeunesse

Sur les traces de Jésus
Philippe Le Guillou, Gallimard Jeunesse,

Sur les traces des Arabes et de l'islam
Youssef Seddik, Gallimard Jeunesse,

Entre la Bible et
l'Histoire, le peuple hébreu

Mireille Adas-Lebel,
Découvertes Gallimard, n°313

Moïse,
« Lui que Yahvé a connu face à face »
Thomas Römer,
Découvertes Gallimard n°424

Jésus, le dieu inattendu,
Gérard Bessière,
Découvertes Gallimard n°170

Mahomet, la parole d'Allah,
Anne-Marie Delcambre,
Découvertes Gallimard n°22

Les réformes,
Luther, Calvin et les protestants,
Olivier Christin,
Découvertes Gallimard n°237

FILMS

Les Dix Commandements
Film de Cecil B. DeMille, 1956.
La vie de Moïse version Hollywood

Sodome et Gomorrhe
Film de Robert Aldrich et Sergio Leone,
1961.
La vie de Loth à la tête des Hébreux.

Barabbas
Film de Richard Fleischer, 1961.
Le destin de Barabbas, gracié à la place
de Jésus.

Le Prince d'Égypte
Dessin animé. Studios DreamWorks, 1998.
La vie de Moïse en dessin-animé

Joseph, le roi des rêves
Dessin animé. Studios DreamWorks, 2000.
La vie de Joseph, personnage de
l'Ancien Testament

ÉMISSION TÉLÉ

Émissions religieuses le dimanche matin
sur France 2 :

- **Sagesses bouddhistes**
- **Islam**
- **Judaïca**
- **Orthodoxie**
- **Présence protestante**
- **Le jour du Seigneur**
- **Messe**